DOCE BRASIL BEM BOLADO
DOCE BRASIL BEM BOLADO
DOCE BRASIL BEM BOLADO
DOCE BRASIL B

DOCE BRASIL BEM BOLADO

DOCE BRASIL BEM BOLADO

DOCE BRASIL BEM BOLADO

DOCE BRASIL BEM BOLADO

Morena Leite e Otávia Sommavilla

© Editora Boccato (Gourmet Brasil)
Rua dos Italianos, 845 – Bom Retiro – CEP: 01131-000
São Paulo – SP – Brasil – (11) 3846-5141
www.cooklovers.com.br – contato@boccato.com.br

Edição: André Boccato
Coordenação Editorial: Otávia Sommavilla
Projeto Gráfico e Direção de Arte: Camilla Frisoni Sola (Bee Design)
Pesquisa Histórica: Sandro Ferrari
Revisão de Textos: Joseane Cardoso, Amanda Coca e Julie Anne Caldas (TopTexto)
Revisão das Receitas: Aline Maria Terrassi Leitão
Colaboradores na elaboração e testes das receitas: Paula Fontanelli e Ricardo Neves
Assistente de decoração dos bolos: Sanae Alves Mattos
Fotografias: Estúdio Boccato – Cristiano Lopes
Produção Fotográfica: Airton G. Pacheco
Diagramação: Equipe Bee Design
Tratamento de Imagens: Rodrigo Giammarino
Agradecimento à Fundação Gilberto Freyre – www.fgf.org.br

Editora Gaia Ltda.
(pertence ao Grupo Global Editora e Distribuidora Ltda.)
Rua Pirapitingui, 111-A – Liberdade – CEP: 01508-020
São Paulo – SP – Brasil – (11) 3277-7999
www.globaleditora.com.br – gaia@editoragaia.com.br

Editora Gaia Ltda.
Diretor Editorial: Jefferson L. Alves
Diretor de Marketing: Richard A. Alves
Gerente de Produção: Flávio Samuel
Coordenadora Editorial: Arlete Zebber
Assistentes Editoriais: Elisa Andrade Buzzo e Julia Passos

Nº de Catálogo: 3320

Dados Internacionais de Catalogação na Publicação (CIP)
(Câmara Brasileira do Livro, SP, Brasil)

Leite, Morena
Doce Brasil bem bolado / Morena Leite e Otavia Sommavilla ; [fotografia Estúdio Boccato, Cristiano Lopes ; produção fotográfica Airton G. Pacheco]. -- São Paulo : Gaia : Editora Boccato, 2011.

ISBN 978-85-7555-278-0

1. Bolos (Culinária) 2. Doces - Brasil 3. Doces (Culinária) 4. Receitas I. Sommavilla, Otavia. II. Estúdio Boccato. III. Lopes, Cristiano. IV. Pacheco, Airton G.. V. Título.

11-12286 CDD-641.850981

Índices para catálogo sistemático:

1. Brasil : Doces : Receitas : Culinária 641.850981

DOCE BRASIL BEM BOLADO

Morena Leite e Otávia Sommavilla

Sumário

Viva o doce, viva o bolo, viva a "Pasta Brasileira"

Começo com uma pergunta: alguém já viu cana-de-açúcar na Inglaterra? Alguém já tomou garapa em Londres? E melado, tem na Europa? Rapadura, então, nem pensar... Mas o que tem muito na Inglaterra é bolo decorado, e eles são bons nisso. Fazem bolos decorados com uma tal "Pasta Americana", feita de muito açúcar. Então, por que não poderia chamar "Pasta Brasileira"? Afinal, somos o maior produtor mundial de açúcar. Ocorre que, de fato, não está de todo errado chamá-la assim, pasta americana, por um simples fato: somos americanos! Mas, às vezes, nos esquecemos disso. Afinal, nascemos na América, não na do Norte — que "linkou" o nome como corruptela de EUA e, com poder cultural, tudo que é americano, para o mundo, deve ser falado em inglês e "pontocom". Enfim, o nome — Pasta Americana — ficou assim americanizado, e nem sabemos que essa arte, tão inglesa, tem ingrediente brasileiro, e quiçá, uma origem, uma certa raiz de técnica luso-brasileira.

Um dos grandes nomes do "pensar gastronômico" é o italiano Máximo Montanari, autor (dentre outros) do livro *A comida como cultura*. Ele nos ensina a olhar antropologicamente o alimento como expressão de cultura. Diz ele: "A comida é cultura quando é produzida, a comida é cultura quando é preparada, é cultura quando é consumida". Ou seja, na colheita do grão de trigo ou no plantio e extração da mandioca, no preparo da farinha ou da base de mandioca, no preparo do bolo ou na sua forma de consumi-lo, expressamos toda uma gama de comportamentos e técnicas que, ao final, nos distingue como nação, como cultura. E um povo tem sempre uma raiz, uma origem. No caldo da história, uma verdadeira sopa de temperos culturais aqueceu a fogo lento a fusão de ingredientes e mentes, conceitos e gostos. E, então, as identificações vão mudando com as tendências, as modas e influências e, sejam elas resultado do poder dominante ou do poder da natureza, o efeito final – passado alguns séculos – é este amalgama visto em um recorte do tempo, ao qual chamamos de "gosto cultural", e, em nosso caso, um

Esculturas tradicionais de açúcar feitas de Alfenin. Ilustrações originais, retiradas do livro Assucar – de Gilberto Freyre, livraria Jose Olympio editora, edição de 1939.

gosto doce neste nosso Brasil, que na contradição da dor do escravo produziu a doçura da nação, até o ponto de nos orgulharmos em sermos um povo "sweet", um povo amável, mesmo na dificuldade. Também pudera, com tanto doce, tanto bolo a adocicar esta terra onde canta o rouxinol. E "não permita Deus que eu morra sem comer muito Bolo de Fubá" (esse é meu preferido, pois sou meio caipira).

Gilberto Freyre, o nome maior da expressão do doce e, para quem não sabe, o autor do célebre *Assucar* (com dois ésses mesmo, pois era assim em 1939), pelo que se sabe fez um dos primeiros inventários da doçaria brasileira. No início do livro já declara: "O Assucar – que se fez acompanhar sempre do negro – adoçou tantos aspectos da vida brasileira que não se pode separar dele a civilização nacional". E, seguindo esse conceito, segue dizendo: "(...) mas toda essa influência indireta do açúcar no sentido de adoçar maneiras, gestos, palavras, no sentido de adoçar a própria língua portuguesa, não nos deve fazer esquecer sua influência direta sobre a comida, sobre a cozinha, sobre as tradições portuguesas de bolos e doces. Nas terras de cana do Brasil, essas tradições ganharam sabores tão novos, misturando-se com as frutas dos índios e com os quitutes dos negros, que tomaram uma expressão verdadeiramente brasileira. Não há arte mais autenticamente brasileira que a do doce e a do bolo dos engenhos do Norte". Pois está aí uma declaração histórica, genuína e ilibada, a qual responde às perguntas que tanto ocorrem em seminários:

"Existe uma Gastronomia Brasileira?" É claro que em 1939 o termo usado era culinária, e não gastronomia (do grego, as "leis do estômago"), termo cunhado originalmente no século IV a.C. pelo poeta grego Arquestratus, mas eternizado por Brillat-Savarin em seu célebre *Fisiologia do Gosto*. Hoje, modernamente, fazemos distinção entre a culinária que pode ser regional, corriqueira e de simples manutenção da vida do dia a dia, e esta outra forma de se alimentar gastronomicamente, a de "comer com os sentidos", quase dizendo que comer gastronomicamente implicasse em comer cultura, comer um estilo, comer um conceito. Alguém se lembrou da Antropofagia Cultural? Sim, tudo a ver. E olhe que Oswald de Andrade (criador do termo) nem cozinhava – apesar de ter criado um caderno genial intitulado *O Perfeito Cozinheiro das Almas*.

Se "culinária" da Casa Grande, dos Engenhos, do dia a dia, ou se "gastronomia" da cultura nacional, pouco importa, pois se na origem (raiz) éramos três povos, nossa ideologia (identificação) amalgamou uma tradição do Bolo que se hoje é desconhecido, ou pouco reconhecido, é pelo motivo de haver ainda tão poucos historiadores, pesquisadores e livros que tratem dessa tradição, dessa herança.

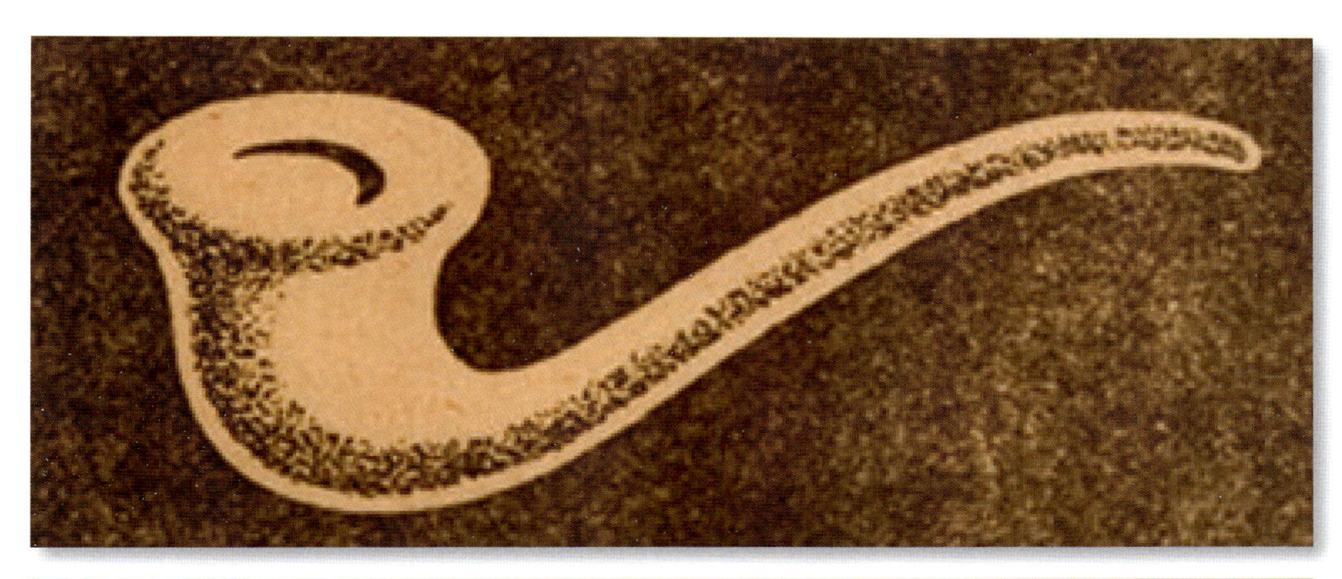

Acima, modelo de cachimbo de açúcar feito de Alfenin, e abaixo, recorte de papel usado para decorar bolos.

Ilustrações originais, retiradas do livro Assucar – de Gilberto Freyre, livraria Jose Olympio editora, edição de 1939.

Aparte notar que, nesta última década, inúmeros profissionais se dedicaram a esse resgate ou às novas propostas baseadas em "brasilidade": em especial, deve-se reconhecer a atuação de chefs emblemáticos como o nosso "porta-bandeiras" Alex Atalla, Mara Salles e tantos outros chefs e pesquisadores; editoras como Senac e Melhoramentos e a mídia especializada que vem fazendo eventos fundamentais, destacando-se, sem demérito de outros, o Laboratório Paladar, do Jornal O Estado de São Paulo, e o Mesa Tendências, da revista Prazeres da Mesa. Porém, é ainda enorme o caminho a percorrer até um "re-conhecimento" entre nós mesmos .

Mas, e o bolo? O bolo ainda é brasileiro? Em tempos de cupcake, tem espaço para a tradição brasileira? E o bolo decorado com Pasta Americana? Afinal, essa conversa toda é para quê? Por que um livro de bolos com temas brasileiros feito com Pasta Americana? Tudo isso para introduzir um porquê: porque duas chefs consagradas se põem a introduzir ou reintroduzir recheios e receitas com "fructas" – como dizia Gilberto Freyre em 1939 – tão brasileiras agora, apesar da banana e do coco terem vindo da Índia. E as decorações? De onde vêm essas decorações tão brasileiras, mas que ainda não fazem parte da tradição das "boleiras"? Ou, se fazia, perdeu-se. Pois é, até pouco tempo, o termo usado por milhares de profissionais que viviam da arte de fazer docinhos de festas e bolos era boleiras, mas agora o nome correto é "cake designer". Significa isso a passagem do culinário para o gastronômico? Não. Em minha opinião, é só uma questão de nome, de nomenclatura, de estilo universalizado de nomear, mesmo que americanizado. E afinal, a pasta já não é americana? Tempo houve em que era tudo em francês na arte da mesa, e, do jeito que vai, no futuro, poderá ser em chinês (ou português?). O fato é que estamos no momento da identificação com bolo decorado, sem saber que isso já é de nossa raiz. Pois, ora vejam! Sim, sim, a arte de decorar bolos é de origem portuguesa!

Tenho em mãos um livro original de Gilberto Freyre de 1939, e em várias páginas existem ilustrações que mostram uma arte da estética, seja reproduzindo formas com elementos decorativos, seja na apresentação com cestas, papéis rendilhados e enfeites completamente em desuso hoje. A verdade é que não existe citação à Pasta Americana ou à decoração nos moldes de hoje, mas estava lá o Alfenim, uma pasta feita de "assucar" e moldável a ponto de fazer esculturas, citado por Freyre. O quanto há de influência francesa (de Carême?) não sabemos, a não ser que lá na França não há pé de cana-de-açúcar! O fato é que esse nome, "Alfenim", já diz tudo: com um radical "Al", que deve ser árabe, e que tanto influenciou os portugueses pela sua delicadeza e moldagem, foi o ancestral da tradicional Pasta Americana (e, para quem não sabe, Al Zukkar pode ser a origem etimológica do nosso Açúcar).

Pergunto-me: o que é tradição? E me sirvo de novo das palavras do mestre Montanari: "Tradição é uma inovação que deu certo"! Sem dúvida, na origem, tudo foi uma inovação. Quer algo mais tradicional para um italiano que macarrão com molho de tomate? Mas acontece que o tomate veio aqui da nossa América e introduzido a "duras penas" na Europa, pós-navegações, como, aliás, a batata, que não era de lá, e sim também da América. A maioria das pessoas nem imagina que, no século XV (tempo de descobrimentos), o açúcar era considerado "especiaria" tão cara que apenas papas e reis tinham acesso; o povão usava só o mel. Idem os índios daqui, que só conheciam o mel e o usavam com tudo.

Acima, modelo de vaso de flores feito de Alfenin; abaixo, recorte de papel usado para decorar bolos. Ilustrações originais, retiradas do livro Assucar – de Gilberto Freyre, livraria Jose Olympio editora, edição de 1939 .

Assim, nessas idas e vindas da história, somos agora Um Doce Brasil nas mãos dessas meninas, Morena Leite e Otávia Sommavilla, que foram buscar os temas de nossa história brasileira (com os textos do historiador Sandro Ferrari), e nessa atitude está toda a diferença. Não basta fazer bolos, não basta usar produtos da terra, não basta apenas resgatar as antigas receitas; o foco é no conjunto da obra, que nos resgata e aponta a reinovação. Decorar bolos com motivos brasileiros, muito bom, saudável e necessário à formação de uma civilização brasileira. Um manifesto temático de brasilidade. Chega de decorar com Mickey Mouse, Bela Adormecida e Barbie! Vamos de Santos Dumont, de Samba, de Saci, de Gaúcho, de Frevo e seja que tema for, desde que mostre mais nossa história, mesmo que seja em Pasta Americana! E, quer saber? Por que não chamar já de Pasta Brasileira, já que o "Assucar" vem daqui?

Brincadeira à parte – e parece brincadeira, mas não é –, ao longo dos próximos anos, milhares de mães, e as boleiras, e as cake designers, vão cozinhar neste País centenas de milhares de bolos decorados que serão comemorados, devorados por milhares de crianças. E elas comem só o bolo e o açúcar? Não! Elas comem imagens, símbolos, desenhos, ícones da mídia, elas comem com o estômago e com o pensamento. E é possível, sim, alimentar o pensamento, não com ideais apenas nacionalistas, o que seria igualmente perigoso, mas com a identidade do que nos caracteriza como povo, como nação, como cultura, a que finalmente estamos a nos orgulhar. Sobre isso, de novo citando Gilberto Freyre: "Uma cozinha em crise significa uma civilização inteira em perigo: o perigo de descaracterizar-se" – citação em Manifesto Regionalista (Recife/MEC 1967, pág. 61), quando o autor coloca sua grande preocupação pelo declínio da culinária nordestina. Assim, não estamos só atrasados na defesa dessa "brasilidade", como muito em dívida com nossos ancestrais.

Mas a história sempre dá voltas, mandamos para o exterior as nossas meninas e, das técnicas aprendidas "além-mar" pelas jovens chefs, fazem valer agora suas expertises a serviço dessa revalorização da história, da cultura e, como diz a Morena, "dos saberes e dos sabores".

Morena e Otávia nos trazem *Um Brasil Docemente Bem Bolado*. A elas, um sorriso agradecido, uma cara de moleque feliz da vida com seu pedaço de bolo, uma sensação de barriga cheia de alegria, uma música que se faz sentir, mas que vem da boca, do pensamento, das doces memórias, dessa felicidade que o "Assucar" nos dá, dessa fantástica sensação de estar no país certo, um tal de Doce Brasil.

André Boccato, editor

Capa de autoria de Santa Rosa para a edição da livraria José Olympio Editora de 1939

DANDO NOME AOS BOLOS

Basta atentarmos mais pausadamente para nossa sobremesa e descobriremos, um tanto desapontados, que os brasileiros são bem mais lusitanos do que imaginam. Nossa doçaria veio quase toda com as mulheres colonizadoras, incorporando significativa contribuição africana, é verdade, mas sem perder a preponderância portuguesa. A arte de fazer doces e bolos vem sendo cultivada desde os mais antigos engenhos e fazendas, mantendo uma tradição capaz de vencer o tempo e o espaço, espalhando-se pelo território brasileiro: até nós chegaram aqueles mesmos sabores e aquelas preciosas receitas. As escravas quituteiras e as senhoras da época colonial conjugaram a doçaria portuguesa com a criação de doces e com os frutos da terra, forjando uma sobremesa autenticamente brasileira. Do hábito que as senhoras tinham de fazer doce surgiu até o ditado: *sinhá na cozinha é festa na sala!*

Por ser a terra do açúcar, no Brasil apurou-se um doce bem mais adocicado, a ponto de espantar alguns paladares europeus, porém, a herança portuguesa manteve o seu poder de conduzir as mãos das sinhás, não somente para as receitas, mas também para o capricho da apresentação, especialmente nos formatos e nos enfeites dos bolos, geralmente servidos sobre folhas coloridas de papel de seda, rendilhadas por manobras de tesoura. Tal prática chegou aos nossos dias na forma de folhas rendilhadas produzidas por gráficas, verdadeiras reminiscências das antigas folhas de papel recortadas em figuras geométricas utilizadas para deixar os bolos mais atraentes.

Esses caprichos da cozinha brasileira, de influência – como já se disse – muito portuguesa, compõem uma estética que merece registro e estudo. Pelo menos foi assim que ponderou o Professor Gilberto Freyre, quando tratou especificamente do assunto (Freyre, Gilberto – Açúcar: uma sociologia do doce, com receitas de bolos e doces do Nordeste do Brasil). Entre o que precisa ser estudado, o grande mestre relaciona: *"Toda a arte de enfeite de papel de bolos e doces dos dias de festa e dos tabuleiros das baianas – às vezes maravilhas de imaginação e de corte que se devem às mãos de negras e de baianas, às tesouras de analfabetas. A arte do recorte de alfenim, em alguns casos, verdadeira escultura em açúcar com motivos regionais. A arte das formas de bolo – os tais corações, as tais meias-luas, as tais estrelas tradicionais. A das pirâmides para centro de mesa. A do rendilhado de toalhas".*

Interessado em compor uma sociologia do doce brasileiro, Gilberto Freyre não deixou de lado o curioso hábito de dar nomes aos bolos, chegando a coligir dezenas deles com as respectivas receitas, conforme se nota entre os mais pitorescos (Op. Cit.): *"Bolo Cabano, Bolo Cavalcanti, Bolo Guararapes, Bolo Dr. Constâncio, Bolo Fonseca Ramos, Bolo do Mato, Bolo Divino, Bolo Toalha Felpuda, Bolo de São Bartolomeu, Bolo de Estouro, Bolo dos Namorados, Bolo Engorda-Marido, Bolo Manuê, Bolo de Amor, Bolo de São João, Bolo Paraibano, Bolo Republicano, Bolo Santos Dumont, Bolo Luís Filipe, Bolo Espirradeira, Bolo Ouro e Prata, Bolo Padre João, Bolo Brasileiro, Bolo D. Luzia, Bolo Treze de Maio, Bolo Sousa Leão, Bolo Baeta, Bolo D. Pedro II, Bolo Senhora Condessa, Bolo Tia Sinhá".*

Uma verdadeira legião de bolos com nome, decoração, formato e enfeite preenche a sobremesa brasileira, representando a mais apurada arte da nossa doçaria e enriquecendo a nossa estética culinária. Este doce Brasil bem bolado é resultante de séculos de tradição, trabalho e criatividade.

Sandro Ferrari, historiador.

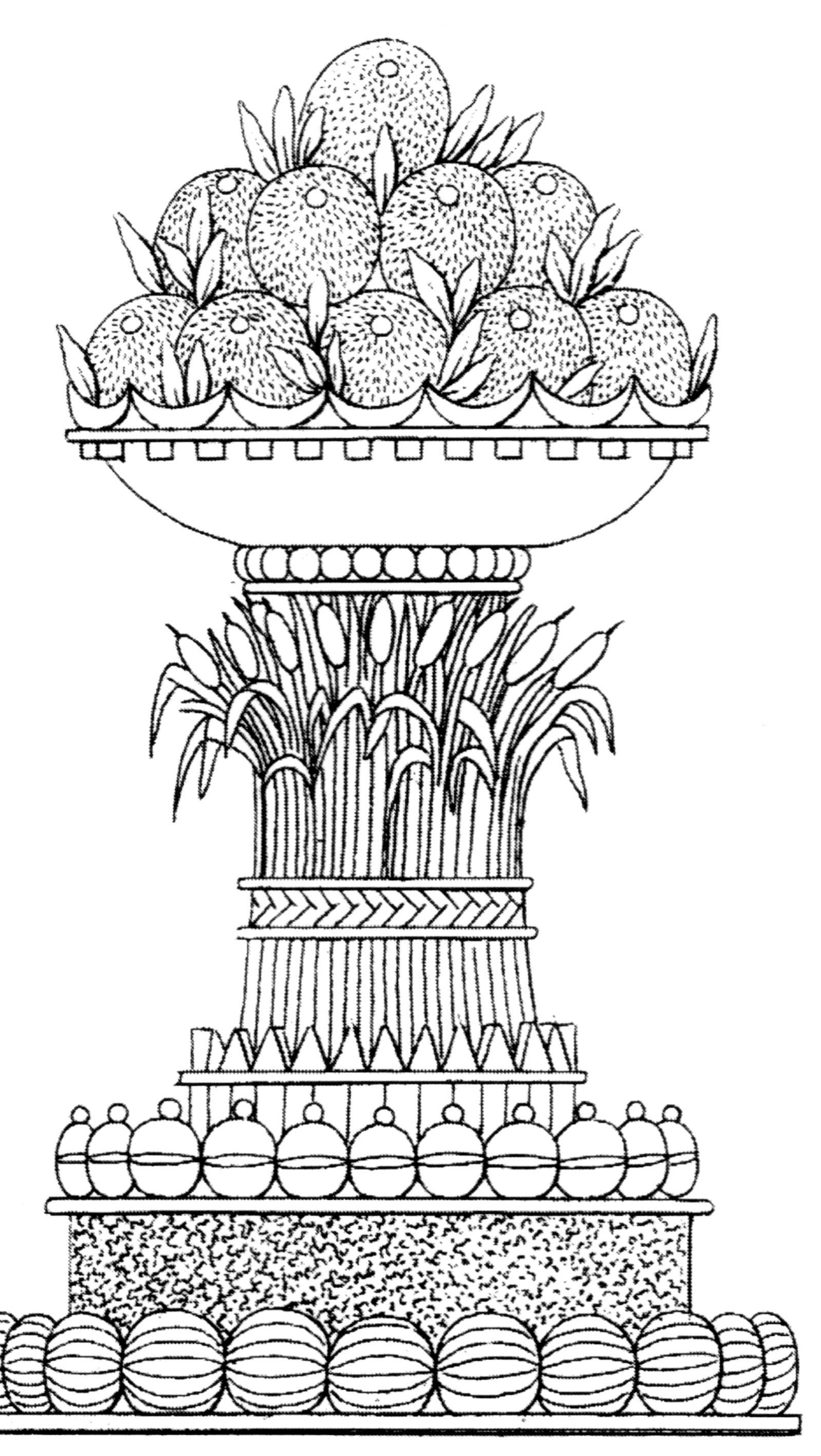

Ilustração Original retirada do livro Careme, Cozinheiro dos Reis, de Ian Kelly,Editora Jorge Zahar, 2005

A história dos bolos decorados

A origem dos bolos se confunde com a dos pães. Os egípcios já confeccionavam bolos de mel, assim como os gregos. Historiadores acreditam que, por volta de 700 a. C., pães e biscoitos doces eram vendidos nas ruas do Egito. Os romanos já conheciam a técnica da fermentação e criaram pães doces que mais tarde deram origem aos bolos. A tradição de servir bolos em casamentos pode ter começado na Roma antiga, onde as famílias mais ricas tinham o costume de preparar uma massa com ingredientes tradicionalmente usados para oferenda aos deuses, como frutas secas, nozes e mel. Migalhas dessa "oferenda" eram jogadas por cima das noivas para trazer boa sorte, prosperidade e fertilidade. Acredita-se que o costume de jogar arroz nos noivos teve origem nessa prática.

Com o tempo, essa "oferenda" tomou forma e sabor, originando o nosso conhecido bolo de casamento. O Islã medieval possuía um enorme repertório de receitas de doces e de bolos à base de ovos, farinha e açúcar, muito próximos do que conhecemos hoje. H. D. Miller sugere que talvez as raízes etimológicas da palavra "cake" (bolo, em inglês) estariam na cultura gastronômica dos povos islâmicos séculos atrás. (Os prazeres do Consumo – O nascimento da culinária islâmica medieval. In. A História do Sabor, Paul Freedman, organizador. São Paulo: Editora SENAC São Paulo, 2009). Mais tarde, acredita-se, surgiram na Itália os primeiros bolos decorados da história. E, quando Catarina de Médici se casou com o rei na França, levando seus confeiteiros reais, ajudou, sem querer, a difundir a técnica de decorar bolos na França e em seguida por todas as cortes europeias.

Há um curioso registro sobre a festa de casamento do Duque Guilermo da Baviera e a senhorita Renata de Lorena, em Munique: o bolo tinha três metros de altura e, durante a festa, o Arqueduque Ferdinando da Áustria teria saído de dentro do bolo, para homenagear os noivos com uma canção (WEIGL, Christoph. História das Artes Manuais, Reisensburg, 1698, citado em História da Confeitaria no Mundo – Perrella, Ângelo Sabatino e Perrella, Myriam Castanheira. São Paulo, 1999, Editora Livro Pleno). Nessa época, os bolos faziam parte, essencialmente, da vida dos nobres ricos, pois os ingredientes eram caros, escassos e de pouca qualidade, exigindo muito trabalho manual, possível apenas nas cozinhas dos castelos: o açúcar devia ser sovado e peneirado, a manteiga era lavada com água de rosas, os ovos, usados em quantidades enormes, eram batidos à mão, e o fermento natural tinha que ser cultivado. Tudo era muito trabalhoso na época. Com a massa pronta, ainda havia o gigantesco trabalho de controlar os fornos à lenha, enormes e quentes, o que exigia o empenho de muitos "artesãos" nas cozinhas reais. Por todo esse período, as receitas se desenvolveram de forma esparsa, dentro das cortes, conventos e castelos, havendo poucos registros. A primeira receita de pasta americana de que se tem notícia está em uma obra chamada Delights for Ladies, de 1609. Leva açúcar, amido e goma tragacanto. Em 1769, Mrs. Raffald publicou um livro, The Experienced English Housekeeper, contendo uma receita de bolo, outra de marzipã e uma de glacê real.

No século 19, surge Antoine Carême, cozinheiro preferido dos reis da Europa, que decorava seus banquetes com monumentais peças de açúcar. Utilizando-se de uma espécie de pastilhagem, inspirado na Arquitetura, construía sobremesas e bolos estruturados. Registrou suas criações, com desenhos de próprio punho, nas obras Le Pâtissier royal parisien (Paris, 1815) e Le Pâtissier pittoresque (Paris, 1842). Ernest Schulbe publicou dois livros – Cake Decoration (1898) e Advanced Piping and Modelling (1906) –, deixou o registro de receitas, técnicas e também dos utensílios usados à época. Na Inglaterra, desenvolveu-se a técnica de usar o glacê real para revestir o bolo. Dizem que vem daí o costume de os noivos cortarem juntos a primeira fatia: o noivo precisava "ajudar" a noiva a rachar a cobertura de açúcar, que se torna muito rígida ao secar. No começo do século 20, os bolos decorados, então mais acessíveis, passaram a fazer parte dos hábitos da sociedade como um todo. Surgiu a tradição, na Inglaterra e nos Estados Unidos, dos bolos de casamento de três andares, representando as três alianças: noivado, casamento e a eternidade. Hoje a técnica está difundida praticamente no mundo todo, adaptando-se aos gostos e à cultura de cada país, surgindo inúmeras e maravilhosas possibilidades.

A história dos bolos no Brasil

A história da confeitaria no Brasil se desenvolveu apoiada na miscigenação de diversas raças, característica de nosso país. Os doces conventuais portugueses, tão difundidos, logo foram enriquecidos por ingredientes nativos, como frutas e mandioca. O constante contato da corte com Portugal fazia com que chegassem ao Brasil todas as novidades e modas da coroa portuguesa, vindo daí as primeiras influências da confeitaria francesa. O ciclo da cana-de-açúcar teve também papel fundamental, proporcionando abundância de matéria-prima para a produção de doces. Nos engenhos e fazendas, fazia parte do dia a dia das sinhás o preparo de doces, bolos e compotas, além de ser uma habilidade fundamental para as jovens. Surgiram receitas desenvolvidas pelas famílias ricas, passadas de geração em geração: Bolo Souza Leão, Bolo Fonseca Ramos, Bolo Luís Felipe e outras tantas, feitas em homenagem a personalidades em geral. Muitas vezes, esses bolos eram decorados com enfeites de papel recortado ou assados em formas decoradas. As ordens religiosas portuguesas tiveram grande influência. Há muito havia o hábito de produzir doces nos conventos, que se justificava por variados motivos: em Portugal, foram os conventos os responsáveis pelo desenvolvimento das melhores técnicas de cozinha, pois há séculos serviam de hospedagem para reis e rainhas quando viajavam. Por outro lado, quando o governo português determinou restrições financeiras às ordens religiosas, estas começaram a produzir doces para vender e garantir sua sobrevivência. No Brasil, a incorporação da mandioca às receitas deu-se muitas vezes em substituição à farinha de trigo, ingrediente escasso. A massa de mandioca tornou-se o ingrediente principal de bolos absolutamente espetaculares. O uso do leite de coco, costume trazido pelos escravos de Moçambique, também marcou nossa confeitaria. Segundo o livro História da Confeitaria no Mundo (Ângelo Sabatino Perrella; Myriam Castanheira Perrella. São Paulo: Ed. Livro Pleno,1999), o bolo das Bodas de Prata da princesa Isabel com o Conde d'Eu, em outubro de 1889, foi um bolo de massa de mandioca: "Massa de mandioca mole ou carimã, leite de coco, gema e clara de ovos, açúcar branco, sal e manteiga. Mistura-se bem e peneira-se a massa, levando-a a assar em forma untada de manteiga. Uns quarenta minutos em forno esperto. Está no ponto quando, metendo-se um palito, este sai enxuto. Tira-se com cuidado da forma porque o bolo pode partir-se. A ciência é conseguir a crosta bem assada e o conteúdo ligado, mas tenro por igual". Os primeiros doces genuinamente brasileiros foram o pé de moleque, a mãe-benta (espécie de broa), a cocada, a paçoca, os Quindins de Iaiá, além dos bolos de mandioca. O primeiro bolo de farinha a se adaptar no Brasil foi o pão de ló, de origem portuguesa. Rapidamente tornou-se bastante popular, e até hoje é um dos preferidos para bolos recheados. Antigamente, e sobretudo em Portugal, era hábito consumir o pão de ló em fatias, torradas, acompanhando o chá, o café ou o vinho do Porto.

Os imigrantes europeus tiveram enorme influência nos hábitos brasileiros, inclusive na confeitaria. Ingredientes, técnicas e receitas foram introduzidas a partir do início de século 20. Desde o tempo dos engenhos, a decoração dos doces e bolos faz parte de nossa confeitaria. Além do papel recortado, o Alfenim – massa feita de calda de açúcar, comum em Portugal e provavelmente herdada dos árabes – é modelado no formato de flores, animais e objetos do dia a dia. Aos poucos, as técnicas europeias de decoração foram se incorporando à nossa cultura. Há registros de que, em 18 de dezembro de 1904, o Barão da Aliança ofereceu um banquete, em sua fazenda, no Vale do Paraíba, ao futuro presidente do Brasil, Nilo Peçanha. Ao final do jantar, foi servido um bolo decorado com fondant e glacê real, recheado com ganache, batizado de Gâteau Supreme – Bolo Supremo (História da Confeitaria no Mundo, op. Cit). Nas décadas seguintes, e ainda hoje, cada vez mais os bolos marcam festas, casamentos e celebrações diversas, além de servirem de veículo para expressão da nossa cultura.

Receitas dos bolos decorados

Bolo Papel Rendado

BOLO FONSECA RAMOS (ADAPTADO DO LIVRO *ASSUCAR*)

A ESTÉTICA CENTENÁRIA

Atualmente, nas lojas de enfeites para festas, é possível encontrar uma seção que oferece papéis de seda com padrões rendilhados de vários tamanhos, redondos ou quadrados, todos destinados a decorar os pratos de bolos e doces. Tratam-se de folhas industrializadas, vendidas aos milhares, mas que claramente procuram imitar as folhas coloridas de papel recortado com tesoura, que tradicionalmente eram colocadas sob os bolos para deixá-los mais atraentes. Na verdade, os papéis rendilhados que as gráficas produzem hoje não passam de uma reminiscência de um hábito nem tão antigo, um capricho que as mulheres boleiras não dispensavam: enfeitar seus bolos com papéis muito coloridos, geralmente perfurados com figuras geométricas. Também é possível encontrar até hoje, em velhas cozinhas do interior, aquelas formas de bolo triangulares, ou com modelos de coração, estrela e meia-lua. Nas regiões de colonização mais antiga do país, na sobremesa brasileira, o bolo desenvolveu a sua estética própria e sempre reinou com certa naturalidade, ocupando o centro da mesa, elevado numa plataforma especial e enfeitado de folhas recortadas, às vezes coberto com caldas diversas ou relevos de açúcar. Indispensável na comemoração e no festejo, nos aniversários e casamentos, o bolo também marca sua presença cerimonial no vagar do cotidiano, variando receitas e formatos, alterando coberturas ou mudando de nome. E quando não tem nome, chamam-lhe simplesmente de "bolo caseiro"!

Receita do bolo

750 g de manteiga sem sal em temperatura ambiente • 750 g de açúcar • 12 gemas • 750 g de farinha de trigo • 3 colheres (chá) de fermento em pó • 36 colheres (sopa) de leite • 12 claras • 3 formas redondas com 25 cm de diâmetro. Bata a manteiga com o açúcar até ficar cremoso. Junte as gemas, uma a uma, e bata bem. Peneire a farinha com o fermento e acrescente a mistura de manteiga e açúcar, alternando com o leite. Bata as claras em neve, separadamente, e junte à massa, misturando delicadamente. Leve para assar nas formas untadas e enfarinhadas, no forno preaquecido a 180 °C.

Receita do recheio

1.975 g de leite condensado (5 latas) • 200 ml de creme de leite fresco • 4 gemas peneiradas • 200 g de coco ralado seco • 1/4 de xícara (chá) de água quente. Em uma tigela, umedeça o coco ralado com a água quente. Misture bem. Juntar todos os ingredientes em uma panela, levar ao fogo baixo e mexer até desgrudar do fundo da panela.

Montagem e decoração:

Corte a massa em camadas finas e monte o bolo no aro ou forma de 25 cm de diâmetro, seguindo as instruções das dicas a partir da página 86. Cubra o bolo com uma receita de pasta americana branca e coloque-o sobre uma tábua de 35 cm de diâmetro coberta com pasta americana branca. Para a renda de papel, faça os moldes: o topo é feito com um círculo de 23 cm e as laterais com uma tira longa de papel. Para o topo, dobre o círculo no meio e depois mais 3 vezes, sempre pelo meio. Faça recortes a gosto nas bordas e nas quinas, formando uma renda de papel. Abra uma porção de massa elástica tingida de azul claro sobre uma superficie polvilhada com açúcar impalpável e recorte a renda com um estilete ou bisturi. Faça mais alguns detalhes com bicos de confeitar perlê de diferentes tamanhos. Espere secar um pouco e coloque sobre o bolo, colando com cola de CMC. Para a lateral, dobre a tira em retângulos de aproximadamente 3,5 cm de lado e 7 cm de altura. Recorte a silhueta da menina, abra o papel e use como molde. Corte uma bonequinha de cada vez e coloque para secar dobrada ao meio, apoiando-a sobre a lateral de uma assadeira. Quando estiver totalmente seca, cole lado a lado com glacê real na lateral do bolo.

Bolo Samba

BOLO DE CACHAÇA COM RECHEIO DE LIMÃO

O BATUQUE BRASILEIRO

Tudo indica que a modinha – derivada da moda lusitana, e o lundu – de origem africana, são as duas principais vertentes da música popular brasileira. Foi, portanto, a junção de uma letra melodiosa transplantada pelos portugueses com um ritmo sensual e excitante, praticado por negros africanos, que propiciou a típica musicalidade brasileira, num processo secular que envolveu praticamente todos os segmentos da sociedade em formação. Começou na Bahia o movimento musical que, mais tarde, estabeleceria uma base de repercussão no Rio de Janeiro, disseminando os sons e ritmos brasileiros por todo o território nacional, inaugurando uma fonte inesgotável de criatividade artística. Desde fins do século 19, a Praça Tiradentes, no Rio de Janeiro, já era famosa por abrigar diversas casas de diversão, onde eram apresentadas as revistas teatrais. Ali, se dançavam e cantavam o lundu, o maxixe e o samba. Tendo início o século 20, proliferam num Rio de Janeiro já menos provinciano os cafés-cantantes e os chopes-berrantes – frequentados por gente mais pobre. Nesses novos pontos de diversão, multiplicava-se a criação de modinhas, cançonetas e choros. O primeiro samba – Pelo Telefone – saiu em disco no ano de 1917, cantado por Ernesto Santos, o Donga, um descendente de migrantes baianos. A partir dessa época, o samba vai ganhar um ritmo batucado, que fará dele o gênero mais popular da cidade.

Enquanto isso, de seus casarões na periferia, as famosas tias baianas difundiam o samba de partido alto e o Rio de Janeiro se consolidava como centro de uma produção musical que já assumia seu perfil comercial. As gravações em disco e a transmissão do rádio rompem a década de 1930 preparadas para atender um considerável público consumidor da música popular. A partir dos anos 1950, uma classe média bem definida e estabelecida, situada ainda no Rio de Janeiro, vai criar a sua própria música e perder o gosto pela cantoria mais popular. O samba batucado perde terreno mas não se extingue: o samba ainda é a expressão mais animada da brasilidade!

Receita do bolo

450 g de manteiga • 1 kg de mel • 345 g de açúcar • 15 g de bicarbonato de sódio • 900 g de farinha de trigo • 450 ml de cachaça • leite (quanto necessário) • 2 formas redondas com 20 cm de diâmetro • 2 formas redondas com 15 cm de diâmetro. Derreter a manteiga e misturar com o mel. Reservar. Num bowl grande, misturar os ingredientes secos peneirados. Adicionar a cachaça, o mel e a manteiga, mexer até formar uma massa homogênea. Agregar o leite aos poucos até atingir consistência pastosa. Colocar a massa nas formas untadas com manteiga e farinha. Assar em forno preaquecido a 160 °C por 45 minutos.

Receita do recheio

540 ml de Suco de limão taiti • 900 g de Manteiga • 9 Ovos • 14 Gemas • 720 g de Açúcar • Raspas de 4 limões • Misturar todos os ingredientes (menos as raspas), levar ao fogo em banho-maria até ficar em consistência de creme (mais ou menos 1h e 30 min.), adicionar as raspas.

Montagem e decoração

Monte os bolos seguindo as dicas a partir da página 86. Corte camadas de massa de aproximadamente 1 cm de largura. Com um dia de antecedência, modele as platinelas em massa elástica, no formato de meio círculo, usando cortadores redondos, de 4 cm de diâmetro. Cubra os bolos com pasta americana branca. Para sugerir os pandeiros, cole tiras largas de pasta colorida na base dos bolos e marque intervalos regulares. Cole os meio círculos com glacê real nas laterais e pinte os detalhes com corante prateado diluído em álcool de cereais. Modele o bonequinho do sambista e coloque no topo do bolo. Como o bonequinho fica em pé, recomenda-se que ele seja afixado com o palito de churrasco, usado na modelagem.

** Se quiser preparar essa receita como um bolo de chá da tarde, divida-a por três.*

Bolo Cesta de Cajus

BOLO DE CASTANHA-DE-CAJU COM RECHEIO DE DOCE DE CAJU

FRUTOS, DOCES E LEMBRANÇAS
Conta-se que os africanos que eram escravizados e trazidos para a costa brasileira, logo ao desembarcarem, corriam instintivamente para os pés de caju, sorvendo avidamente os frutos dos cajueiros, ingerindo o suco saboroso e refrescante, mas que também os salvava do escorbuto, da falta de vitamina C que a longa travessia do Atlântico provocava. Existem muitas variedades de caju, uma fruta vistosa que pode ser amarela ou vermelha. Quando ainda não amadureceu, o caju é conhecido como maturi e entra na culinária nordestina como complemento de picadinhos ou refogados. Além da castanha, que também é muito consumida depois de torrada, com o caju se fazem sorvetes e doces, geleias e licores. No Brasil, a produção de caju é mais expressiva nos estados do Nordeste, onde se reveste de uma importância que vai além do fator econômico, pois se insere na vida social e na cultura da população. O cajueiro, o caju e a castanha são elementos importantes dos costumes, do folclore e da doçaria popular, são integrantes da mais autêntica tradição nordestina.

Receita do bolo

12 ovos • 650 g de açúcar • 600 ml de leite • 600 g de farinha de trigo • 35 g de fermento em pó • 180 g de castanha-de-caju moída • 3 formas redondas com 20 cm de diâmetro

Modo de preparo

Bater as claras em neve com metade do açúcar e reservar. Em uma batedeira, misturar as gemas e o açúcar restante até formar um creme claro. Adicionar o leite. Continuar batendo, agregar a farinha e o fermento. Desligar a batedeira, juntar as claras em neve e a castanha moída. Misturar delicadamente. Assar em forno preaquecido a 180 °C, nas formas untadas e enfarinhadas, por mais ou menos 50 minutos.

Receita do recheio

1 kg de açúcar • 800 ml de água • 20 cajus maduros

Modo de preparo

Colocar o açúcar e a água em uma panela, mexer para dissolver o açúcar, levar ao fogo baixo e deixar ferver até obter uma calda em ponto de fio grosso. Enquanto isso, descascar os cajus, retirar as castanhas e furar em três lugares com um garfo. Espremer o caju para tirar o excesso de líquido. Cozinhar os cajus na calda fervente por cerca de 40 minutos ou até ficarem macios e a calda engrossar. Retirar do fogo, deixar esfriar, bater em um processador de alimentos o caju com um pouco da calda, até formar uma geleia.

Montagem e decoração

Faça a montagem do bolo seguindo as dicas a partir da página 86. Cole o bolo em uma base de papelão com glacê real e comece a esculpi-lo, deixando a base mais estreita, no formato de um cesto. Prepare uma receita e meia de pasta americana. Cubra o bolo com pasta americana tingida de amarelo. Transfira o bolo para uma tábua com 30 cm de diâmetro, coberta com pasta americana amarela, colando com glacê. Com glacê real tingido de marrom, decore a lateral do bolo com o ponto cestinha (vide caderno técnico). Para os cajus, acrescente uma pitada de CMC à pasta americana para que fiquem mais firmes e modele-os à mão. Pinte-os com corantes alimentícios diluídos em conhaque. Modele as castanhas com massa elástica tingida de cinza e deixe que sequem um pouco. Cole nos cajus com cola de CMC.

** Se quiser preparar esta receita como um bolo de chá da tarde, divida-a em duas.*

7
5

Bolo Futebol

BOLO DE CHOCOLATE

A PÁTRIA DE CHUTEIRAS

A unidade brasileira repousa na rede trançada pelos costumes nacionais, por exemplo a prática do futebol. É possível ver meninos jogando bola na periferia de São Paulo, no sertão nordestino, numa estância sulina e até em uma aldeia indígena! O futebol é, sem dúvida, a paixão que arrebata a maioria do povo brasileiro. Prática esportiva copiada dos ingleses, o jogo da bola com os pés tem atraído há décadas não somente os atletas, mas principalmente os torcedores. Nossas agremiações de futebol, presentes em qualquer recanto do país, reúnem torcidas militantes e apaixonadas, as quais são envolvidas pelas emoções, alegrias e tristezas proporcionadas pelas vitórias ou pelas derrotas. Quase todos os nossos meninos acalentam o sonho de se tornarem jogadores de futebol, isso porque é uma carreira bem promissora: os bons atletas do futebol costumam ser prestigiados e ganham salários milionários. O Brasil se tornou um núcleo de criação dos talentos futebolísticos: sem modéstia, é daqui que saem os mais habilidosos jogadores do mundo, atletas que são tidos como ídolos nos clubes da Europa, onde mais se costuma contratá-los. Em épocas de campeonatos internacionais, juntam-se esses craques que estão atuando em clubes no exterior com os melhores jogadores que restaram no Brasil, formando-se a temida Seleção de Futebol, um time que, para nós, é nada menos do que "a pátria de chuteiras"! A gente brasileira, distribuída pelo imenso território nacional, se acomoda e se identifica com certas características regionais, mas esse regionalismo não é empecilho para a convergência nacional. Um caboclo da Amazônia é tão brasileiro quanto um gaúcho do Pampa; não há oposição significativa entre o sertanejo do Cerrado e o caipira do Planalto. Os brasileiros em geral estão acostumados com as peculiaridades regionais e sabem reconhecer a sua gente em uma espécie de pertencimento sempre renovado, especialmente quando todos se unem na torcida pela Seleção Brasileira de Futebol.

Receita do bolo

420 g de farinha de trigo • 30 g de fermento em pó • 5 g de bicarbonato • 12 ovos • 555 g de açúcar • 540 g de manteiga • 450 ml de cachaça envelhecida amornada • 960 g de chocolate meio amargo • 2 formas redondas de 10 cm • 2 formas redondas de 20 cm. Em uma tigela, misture a farinha, o fermento e o bicarbonato peneirados. Reservar. Bater as claras em neve com metade do açúcar e reserve. Na batedeira, bater a manteiga com o restante do açúcar até ficar cremoso. Juntar as gemas, uma a uma, e a cachaça. Derreter o chocolate e juntar na massa. Acrescentar a farinha e bater até formar uma massa homogênea. Desligar a batedeira e juntar as claras em neve, mexendo delicadamente. Assar nas formas untadas, em forno preaquecido a 180 °C por 45 minutos.

Receita do recheio

550 g de creme de leite de lata ou caixinha • 450 g de chocolate meio amargo. Aqueça o creme de leite em uma panela até que fique bem quente, mas sem ferver. Retire do fogo e acrescente o chocolate picado. Mexa até ficar homogêneo.

Montagem e decoração

Monte os bolos seguindo as dicas a partir da página 86. Faça uma receita e meia de pasta americana. Se estiver usando pasta industrializada, siga as orientações de rendimento do fabricante. Cubra os bolos com pasta americana tingida de amarelo. Monte o bolo, modele os jogadores de futebol, colando-os na lateral do bolo, de 10 cm de diâmetro. Recorte as estrelas em pasta americana verde, cole no bolo com cola de CMC. Coloque o bolo em uma base de 30 cm de diâmetro e faça o acabamento com glacê real.

** Se quiser preparar esta receita como um bolo de chá da tarde, divida-a em três.*

Bolo Folia do Divino

BOLO DE SEMENTE DE GIRASSOL COM RECHEIO DE ABACAXI

A BANDEIRA DO DIVINO

No Portugal do século 14, o Dia de Pentecostes era comemorado com banquetes "públicos", quando os nobres e os ricos distribuíam muita comida e esmolas à gente pobre. Era o Bodo dos Pobres, uma manifestação de generosidade que pretendia comemorar a descida do Espírito Santo sobre os Apóstolos. Até hoje, o oferecimento de esmolas integra o ritual da Festa do Divino, entretanto, trata-se de uma comemoração religiosa que foi absorvendo novos elementos, principalmente quando transferiu-se para a terra brasileira. Atualmente, de norte a sul do Brasil, a devoção pelo Divino Espírito Santo se manifesta através de um cerimonial cantado e dançado, apresentando seus integrantes paramentados como uma verdadeira corte onde reinam o Imperador e a Imperatriz. Estandarte, coroa, a pomba branca e a esmola ainda permanecem como símbolos importantes da Festa do Divino. Algumas festas do Divino, como a de Pirenópolis, incluem apresentações de cavalhadas e grupos mascarados, proporcionando um verdadeiro espetáculo de rua, atraindo multidões de turistas. Outra festividade peculiar do Espírito Santo é a que se encontra em Tietê, onde os devotos embarcam em canoas e navegam pelo rio levando a Bandeira do Divino e arrecadando donativos e prendas para a festa. Esses romeiros costumam ser recebidos nas casas à beira do rio Tietê, quando se realizam banquetes e cantorias, numa cerimônia conhecida como Pouso do Divino.

Receita do bolo

375 g de manteiga • 600 g de açúcar • 6 ovos • 750 g de farinha de trigo • 270 ml de suco de laranja lima • 30 g de fermento em pó • 150 g de semente de girassol • 2 formas redondas com 20 cm de diâmetro. Numa batedeira, bater a manteiga com o açúcar até virar um creme. Adicionar os ovos um a um, agregar alternadamente a farinha e o suco. Desligar a batedeira, finalizar com o fermento e as sementes de girassol, mexer até formar uma massa homogênea. Assar em forno preaquecido a 180 °C por 45 minutos.

Receita do recheio

1 abacaxi • 250 g de açúcar • 200 ml de leite • 200 ml de leite condensado • 20 g de amido de milho. Numa panela, colocar o abacaxi cortado em cubos pequenos com o açúcar e deixar apurar até reduzir e formar o doce. Deixar esfriar. Bater no liquidificador metade do doce com o leite e o leite condensado. Juntar numa panela a mistura e o restante do doce. Dissolver o amido de milho em um pouco de leite, colocar na panela. Levar a fogo baixo, mexer até formar um creme.

Montagem e decoração

Corte o bolo em camadas finas, de aproximadamente 1 cm de largura e faça a montagem seguindo as dicas a partir da página 86. Prepare uma receita de pasta americana. Se estiver usando pasta industrializada, siga as orientações de rendimento do fabricante. Cubra o bolo com pasta branca e separe uma pequena porção de pasta para modelar as pombas. Tinja a pasta de vermelho, dois tons de verde, azul claro e escuro, rosa, lilás, amarelo, laranja, Pink e, abrindo-a bem fina, corte tiras de 2 cm de largura. Cole as tiras paralelamente no topo do bolo, com cola de CMC e apare as pontas na quina do bolo. Faça uma tira de 10 cm de largura de pasta vermelha e cole por volta do bolo com cola de CMC. Os resplendores são feitos a partir de tirinhas de pasta com a ponta cortada em bico, coladas em forma de cruz. Pinte-as com corante dourado em pó diluído em álcool de cereais. Modele as pombas em pasta branca ou use forminhas de silicone com motivo de pássaro. Cole no centro das cruzes. Coloque o bolo em uma tábua redonda com 30 cm de diâmetro coberta com pasta americana rosa.

Bolo Lampião e Maria Bonita

BOLO DE PUBA

O AMOR NO SERTÃO

Saque, roubo e sequestro: esses eram os atos violentos praticados pelo cangaço no nordeste do Brasil desde o final do século 19 até começos do século 20. A diferença dos cangaceiros com outros bandidos era que eles não atacavam certas pessoas que os obedecessem ou até os ajudassem. Por essa razão, os cangaceiros eram bem vistos por parte da população, visto que eventualmente podiam atacar os coronéis que espoliavam a gente mais pobre. Dentre os cangaceiros, o mais famoso foi certamente aquele que ficou conhecido por Lampião. Nascido como Virgulino Ferreira da Silva, em 1898, no lugar chamado Serra Talhada, em Pernambuco, ele teve uma juventude normal até 1922, quando entrou para o cangaço a fim de vingar a morte de seu pai. Em 1930, depois de muitas estripulias pelo sertão, conheceu Maria Gomes de Oliveira, a famosa Maria Bonita, que entrou para o bando. O casal só teve uma filha: Expedita. Com a vida itinerante e perigosa do cangaço, Lampião e Maria Bonita não tiveram parada, embrenhados pelo sertão, no ponso vigilante dos acampamentos, à volta das fogueiras e nas andanças sem fim. No ano de 1938, as tropas do governo conseguiram cercar e desmantelar o bando. Mantendo a liderança, o casal lutou até o fim e somente a morte foi capaz de separar Maria Bonita de seu amado Lampião.

Receita do bolo

8 ovos • 480 g de açúcar • 200 g de manteiga • 800 g de massa de puba • 400 ml de leite de coco • 1 pitada de sal • 30 g de fermento em pó • 2 formas redondas com 25 cm de diâmetro. Bater as claras em neve com metade do açúcar e reservar. Numa batedeira, bater o restante do açúcar com a manteiga até formar um creme claro e adicionar as gemas, uma a uma. Juntar os demais ingredientes e misturar bem. Agregar as claras em neve, mexendo delicadamente. Assar nas formas untadas em forno preaquecido a 170 °C por 50 minutos.

Montagem e decoração

A montagem desse bolo é feita unindo os dois bolos com um pouco de brigadeiro branco. Com uma faca de serra, corte o topo do bolo para que fique bem regular. Prepare uma receita e meia de pasta americana. Se estiver utilizando pasta americana industrializada, siga as orientações de rendimento do fabricante. Cubra o bolo com pasta tingida de marrom. Modele os bonequinhos e coloque-os no bolo. Cole o bolo com glacê real em uma tábua com 35 cm de diâmetro. Faça os detalhes da vegetação. Modele rolinhos de pasta americana verde e marque a textura dos cactos. Cole nas laterais do bolo com cola de CMC.

Bolo Bandeira do Brasil

BOLO DE BANANA RECHEADO DE DOCE DE LEITE

ORDEM E PROGRESSO

A bandeira brasileira é a única entre as nações do mundo que ostenta uma frase: Ordem e Progresso, o lema do positivismo que embalava os bacharéis e os militares que implantaram o regime republicano no ano de 1889. Ora, uma bandeira simboliza a pátria para os patriotas, mas também identifica um País perante o resto do mundo, onde evidentemente se falam outras línguas, de modo que aplicar uma inscrição em português no estandarte brasileiro é querer mandar uma mensagem a estrangeiros que não conseguirão ler... Apesar disso, para os protagonistas da nova República, o modelo de uma bandeira que estampava palavras não foi um problema, já que era muito mais importante sacramentar no pavilhão da pátria o velho compromisso conciliador: o progresso com ordem, para sinalizar uma mudança segura. A bandeira do Brasil republicano, que já vinha verde e amarela da monarquia, suprimiu o brasão imperial para aplicar o globo celeste com as estrelas simbolizando os estados. Com a proclamação da República, todo um país e seu povo ainda estava por ser constituído. Mal saído da escravidão, o Brasil dava os primeiros passos no caminho da modenidade. Foi somente no decurso de décadas, com a ampliação da educação pública e o crescente exercício da cidadania, que o povo brasileiro passou a se integrar e participar de um sistema republicano mais verdadeiro e democrático.

Receita do bolo

12 bananas nanicas maduras • 1,2 kg de açúcar • 8 ovos grandes • 400 g de manteiga derretida • 20 ml de essência de baunilha • 1 kg de farinha de trigo • 20 g de bicarbonato de sódio • 20 g de fermento em pó • 2 pitadas de sal • 2 formas quadradas com 25 cm de lado. Amassar as bananas com a ajuda de um garfo e adicionar o açúcar. Colocar a mistura em uma tigela grande, acrescentar os ovos, a manteiga derretida e a baunilha. Mexer até a mistura ficar homogênea. Juntar a farinha, o bicarbonato, o fermento e o sal peneirados. Bater apenas para misturar. Colocar para assar em uma forma untada, no forno preaquecido a 100 °C por 1 hora e 20 minutos, ou até que, quando testada com um palito, a massa esteja assada.

Receita do recheio

1 kg de doce de leite • 300 g de creme de leite fresco. Em uma panela, misturar os ingredientes e levar ao fogo baixo, mexendo até engrossar.

Montagem e decoração

Faça a montagem seguindo as dicas a partir da página 86. Use aproximadamente uma receita e meia da pasta americana. Se estiver usando pasta industrializada, siga as orientações de rendimento do fabricante. Cubra o bolo com pasta tingida de verde. Marque um losango no centro do bolo e cubra-o com pasta americana amarela. Com a ajuda do bisturi, recorte as folhas de bananeira na pasta americana tingida de verde, pinte-as com corante verde diluído em conhaque e cole-as no bolo, excluindo a área do losango. Modele pequenas frutas (bananas, abacaxis e maracujás) com pasta amarela e cole no losango com cola de CMC, deixando um espaço central para o círculo azul. Faça uma faixa branca dentro do círculo e pinte as notas musicais em preto. Coloque em uma base quadrada de 30 cm de lado, forrada com pasta americana verde.

Se quiser preparar esta receita como um bolo de chá da tarde, divida-a em quatro.

Bolo Açucareiro

BOLO DE GARAPA COM RECHEIO DE LIMÃO CRAVO

BRASIL, DOCE BRASIL

Mel de abelhas: era só o que tinham os europeus para adoçar seus alimentos e bebidas quando circularam as primeiras notícias sobre o descobrimento do Brasil. Foi somente a partir de meados do século 16 que, com as remessas regulares da grande produção brasileira, os mercados da Europa puderam oferecer açúcar a preços mais acessíveis, popularizando o consumo do adoçante. Mesmo assim, ao mesmo tempo em que o europeu se sentia privilegiado por adquirir um punhado de açúcar a peso de ouro, no Brasil, até os escravos já se lambuzavam com melado. A fartura, o uso e o abuso do açúcar remonta ao nosso primeiro século, havendo notícia que nos engenhos coloniais já se viam muitos doces de frutas tropicais e alguns bolos. Os nativos nada adoçavam, mas o lusitano não esqueceu de trazer consigo um delicioso cardápio de doces que tanto atendiam aos prazeres do paladar quanto podiam representar a gentileza e realçar o festejo. O Brasil incorporou quase sem reparo esta simbologia da doçaria portuguesa: por aqui, o doce é uma iguaria tão saborosa e estimada que se eleva à condição de oferenda, visto que é presenteado eventualmente aos amigos e vizinhos, bem como é servido especialmente aos visitantes. O açucareiro surge nas mesas ocidentais somente em princípios do século 17, quando a Companhia das Índias Orientais Holandesas começa a importar o chá para a Europa. Inicialmente, portanto, o açucareiro era uma peça de um conjunto de louças destinado ao cerimonial do chá. Na rústica mesa da casa-grande de engenho, no Brasil colonial, embora o chá não fosse consumido, utilizavam-se os chamados potes de açúcar. O açucareiro chegou aos nossos dias trazendo a sua funcionalidade e o seu simbolismo, como recipiente utilitário e decorativo, como um bem de família que passa pelas gerações.

Receita do bolo

8 ovos • 320 g de açúcar • 500 g de farinha de trigo • 465 ml de garapa • 260 ml de óleo • 30 g de fermento em pó • 2 formas redondas com 20 cm de diâmetro. Bater as claras em neve com metade do açúcar e reservar. Bater as gemas com o restante do açúcar, acrescentar a garapa e o óleo, misturar e em seguida adicionar a farinha. Misturar bem até formar uma massa homogênea. Acrescentar as claras em neve, o fermento e mexer delicadamente até incorporar as claras. Despejar a massa na forma untada com manteiga e farinha. Assar em forno preaquecido a 180 °C por 45 minutos.

Receita do recheio

1.185 g de leite condensado (3 latas) • 100 ml de creme de leite fresco • 4 limões cravo (raspas). Levar o leite condensado com o creme de leite ao fogo baixo, mexer até desgrudar do fundo da panela e ficar bem consistente. Tirar do fogo, mexer bem e acrescentar as raspas dos limões. Esperar esfriar um pouco antes de usar.

Montagem e decoração

Com um dia de antecedência, modele as alças do açucareiro com massa elástica, prendendo em cada ponta meio palito de churrasco, que dará suporte no momento de colar no bolo. Deixe secar em uma superfície polvilhada com bastante açúcar impalpável, para que a alça mantenha o formato arredondado. Monte o bolo seguindo as dicas a partir da página 86. Leve à geladeira por no mínimo 6 horas. Inverta-o na base e, com a ajuda de uma faca de serra, esculpa o formato do açucareiro, deixando o bolo arredondado e mais estreito no topo e base. Com um estilete, ajuste o formato da base de papelão, cortando os excessos. Faça uma receita de pasta americana, tinja de amarelo e cubra o bolo. Coloque o bolo em uma tábua de 25 cm de diâmentro forrada com pasta americana. Cole as alças com um pouco de glacê real, inserindo o palito no bolo. Modele os detalhes da tampa do açucareiro em pasta americana. Faça os arabescos em glacê e pinte com corante dourado diluído em álcool de cereais.

Bolo Capoeira

BOLO DE ESPECIARIAS COM RECHEIO DE MEL

A LUTA QUE VIROU DANÇA

Capoeira não é um nome de origem africana: é uma designação da língua indígena Tupi para identificar aquele matinho emaranhado e periférico por onde ninguém costuma passar. Maculelê, sim, é um nome africano que indica os movimentos ou golpes de bastão ou facão, um gingado e uma acrobacia que está na origem da famosa capoeira, essa mescla de luta, batuque, canto e dança, que foi inventada pelos escravos no Brasil. Notícias sobre a prática da capoeira nas senzalas já surgem a partir do século 17, e parece mesmo que ela tenha sido aprimorada ainda no meio rural. Do século seguinte em diante, a capoeira já é vista em cidades como Salvador, Recife e Rio de Janeiro. Até o final da escravidão os negros demonstraram grande interesse na prática da capoeira, não somente como treinamento de defesa, mas como um reforço de identidade e oportunidade de lazer. Mesmo após a Abolição, a capoeira seguiu por muito tempo como um exercício dos negros e mulatos, sendo inclusive mal vista pelas elites brancas e perseguida pela polícia. Durante as últimas décadas foi que o caráter cultural da prática de capoeira passou a ser reconhecido e assimilado sem reservas pela sociedade brasileira. Considerada atualmente como uma arte marcial como as outras orientais, a capoeira ainda é admirada pelo seu cunho cultural e artístico.

Receita do bolo

8 ovos • 350 g de açúcar • 200 ml de oleo • 400 ml de suco de laranja • 500 g de farinha de trigo • 30 g de fermento em pó • 8 g de canela • 3 g de cravo moído • 3 g de noz moscada • 3 g de pimenta do reino • 3 g de cardamomo moído • 2 formas redondas com 20 cm de diâmetro • Bater as claras em neve com metade do açúcar. Reservar. Bater no liquidificador as gemas, o restante do açúcar, o óleo e o suco. Colocar a mistura em um bowl grande, acrescentar a farinha, o fermento e as especiarias. Mexer bem. Juntar as claras em neve delicadamente, até formar uma massa homogênea. Despejar a massa na forma untada com manteiga e farinha. Assar em forno preaquecido a 180 °C por 45 minutos.

Receita do recheio

200 g de Açúcar • 1 l de leite • 200 g de Manteiga • 40 g de Maisena • 40 g de Farinha de trigo • 200 g de Mel. Bater todos os ingredientes no liquidificador, menos a manteiga. Levar ao fogo baixo, agregar a manteiga, mexendo sempre até engrossar e formar o creme.

Montagem e decoração

Corte o bolo em camadas finas de massa. Faça a montagem seguindo as dicas a partir da página 86. Prepare uma receita de pasta americana branca e cubra o bolo. Se estiver usando pasta industrializada, siga as orientações de rendimento do fabricante. Coloque o bolo em uma base com 30 cm de diâmetro forrada com pasta americana. Tinja pequenas porções de pasta americana nas cores dos cordões, faça rolinhos bem finos e compridos e modele os cordões, enrolando-os dois a dois. Cole-os na lateral do bolo com cola de CMC. Modele o berimbau com pasta americana.

Bolo Carnaval

BOLO DE ABÓBORA COM COCO

O ESPETÁCULO DA VIDA

A folia de Carnaval é uma das maiores paixões brasileiras. Escrevemos Carnaval com letra maiúscula, porque ele não é um simples festejo, é uma instituição! Trazido pelos colonizadores portugueses, era chamado de entrudo e transformava as vias públicas em "praças de guerra", com os transeuntes jogando farinha e água uns nos outros. Com o passar do tempo, o entrudo foi assimilando alguns elementos da cultura africana, especialmente o batuque do samba, recebendo também a contribuição e a participação das classes médias. Os quatro dias da festança carnavalesca constituem um marco do calendário brasileiro, a ponto de prorrogar para o mês de fevereiro o começo do ano: todas as decisões, projetos e empreendimentos, tudo fica para depois do Carnaval... Preservando os elementos fundamentais da festa da carne, herdados do paganismo europeu, nosso Carnaval ainda cultiva as transgressões, as inversões, o exagero, a diversão e a sensualidade, mas foi se organizando em apresentações coletivas cada vez mais amplas, chegando ao preciosismo das escolas de samba, que se dedicam praticamente o ano inteiro à preparação de luxuosos desfiles. Esse tipo de apresentação carnavalesca se baseia num samba-enredo que conta uma história ou descreve costumes, resgata o passado ou exalta a cultura, tudo através de fantasias e alegorias, montando uma gigantesca ópera em movimento que leva as plateias ao delírio. Brinca-se informalmente, ainda pelas ruas de muitas cidades, assim como se realizam bailes em salões dos clubes. No Norte e Nordeste do país também se pode apreciar festejos dos mais tradicionais: são grupos que saem pelas ruas embalados pelo maracatu, pelo frevo e pelas marchinhas, descontraindo e divertindo qualquer pessoa que queira participar. De norte a sul do país, nosso Carnaval – de rua ou "organizado" – é uma lição de convivência, uma distribuição de alegria, é o espetáculo da vida.

Receita do bolo

600 ml de leite de coco • 240 g de açúcar • 12 ovos • 975 g de doce de abóbora • 540 g de farinha de trigo • 40 g de fermento em pó. Andar de 25 cm: duas formas redondas de 25 cm de diâmentro. Para completar os 3 andares do bolo, deve-se triplicar a receita acima utilizando: uma peça de isopor com 45 cm de diâmetro, 2 formas com 35 cm de diâmetro, 2 formas com 15 cm de diâmetro. Bater no liquidificador o leite de coco, o açúcar e as gemas. Colocar a mistura num bowl grande, adicionar o doce de abóbora, a farinha e o fermento. Juntar as claras em neve, mexendo delicadamente até a massa ficar homogênea. Colocar a massa na forma untada com manteiga e farinha, assar em forno preaquecido a 160 °C por 50 minutos.

Receita do recheio

Doce de abóbora: (bolo e recheio) • 6 kg de abóbora pescoço • 3 kg de açúcar • 3 litros de água • 300 g de coco ralado fresco • 8 cravos • 4 canelas em rama. Juntar a abóbora cortada em pedaços e os ingredientes numa panela, levar a fogo baixo, deixar cozinhar por uma hora ou até a abóbora desmanchar. Colocar os 975 g de doce que será usado no bolo numa peneira para retirar o excesso de caldo. O doce que será usado no recheio deve ter o ponto bem apurado para que fique consistente e permita a montagem do bolo torto.

Montagem e decoração

Faça a montagem do bolo seguindo as dicas a partir da página 86. Prepare 4 receitas de pasta americana. Desenhe as máscaras em uma cartolina e use como molde para recortá-las em massa elástica. Faça os confetes com pasta americana colorida e as serpentinas com tiras finas de massa elástica. Para que os bolos tenham o efeito torto, há duas maneiras: os bolos podem ter o formato tradicional, mas montados de forma a ficarem um pouco mais baixos, acrescentando cunhas de isopor, exatamente do mesmo diâmetro do bolo, de maneira que formem um ângulo, ou os bolos são recortados em ângulo depois de recheados. Nos dois casos, passe glacê real e cubra os bolos com pasta americana. É muito importante que cada andar tenha os suportes (estacas) e estes sejam inseridos depois que o bolo foi colocado na base ou em cima do bolo de baixo, (para que permaneçam retos e proporcionem suporte). Entre um andar e outro, passe uma única estaca comprida, e ao terminar a montagem, mais uma por todo o bolo. Cole as máscaras, confetes e serpentinas com cola de CMC e faça o acabamento em cada andar com uma tira de 2 cm de largura de massa elástica.

***** Se quiser preparar esta receita como um bolo de chá da tarde, divida-a em três.**

Bolo Bumba meu Boi

BOLO DE CASTANHA-DO-PARÁ COM RECHEIO DE JACA

A FANTASIA DO BOI SERTANEJO

Uma grande armação de madeira, num formato bovino, coberta de tecido bordado e saias coloridas, a cabeça com chifres ameaçadores, conduzida por um homem que se esconde debaixo dos panos, essa é a figura principal da encenação do Bumba meu boi, uma tragicomédia popular que pode ser vista em várias partes do Brasil, capaz de atrair a atenção e a participação de um público considerável. Bumba meu boi, boi-bumbá, boi-surubim ou boi de reis, a festa folclórica que tem o boi como elemento central assume diversas denominações, dependendo das regiões onde se realiza. A mais famosa festa do boi-bumbá é o Festival de Paritins, uma apresentação grandiosa que utiliza os elementos criados no Nordeste brasileiro e que foram transplantados para a Amazônia através dos migrantes nordestinos. Os personagens da encenação são humanos e animais, todos cantando e dançando para contar a estória do bumba meu boi. O enredo é tradicional e quase não sofre alterações: é o sumiço do boi de uma pastorinha; ela sai à sua procura e vai encontrando os demais personagens da peça: o fazendeiro, o peão da fazenda – que rouba e mata o boi para satisfazer a mulher ou a mãe, os índios e os animais. Na lenda do boi-bumbá, o boi é morto e ressuscita, numa representação alegórica da fertilidade, da energia animal e das relações sociais da região. Diante da morte do boi, a pastorinha repete a cantiga:

O meu boi morreu
Que será de mim?
Manda buscar outro
Ó maninha, lá no Piauí

Receita do bolo

250 g de manteiga • 400 g de açúcar • 10 ovos • 500 g de castanha-do-pará moída • 30 ml de conhaque • 2 formas redondas com 20 cm de diâmetro. Numa batedeira, bater a manteiga com o açúcar. Adicionar os ovos um a um. Agregar a castanha moída e o conhaque (opcional). Assar na forma untada e enfarinhada, a 180 °C, por mais ou menos 40 minutos.

Receita do recheio

1 kg de gomos de jaca (sem semente) • 300 g de açúcar • 300 ml de creme de leite fresco • 6 gemas peneiradas. Misturar a jaca com o açúcar, levar em fogo baixo até formar um doce. Deixar esfriar. Bater no processador de alimentos ou liquidificador para formar uma pasta. Misturar o doce de jaca com demais ingredientes e levar ao fogo baixo, mexendo sem parar até engrossar (cerca de 50 minutos).

Montagem e decoração

Corte o bolo em camadas de aproximadamente 1 cm de largura. Faça a montagem seguindo as dicas a partir da página 86. Cubra o bolo com a pasta americana tingida de preto. Utilize uma receita de pasta. Se estiver usando pasta industrializada, siga as orientações de rendimento do fabricante. Transfira o bolo para uma tábua com 30 cm de diâmetro forrada de pasta preta. Usando cortadores variados e pasta americana colorida, faça flores em tamanhos diversos, estrelas, folhas e cole no bolo usando cola de CMC. Usando o cortador de babados e massa elástica vermelha e amarela, faça os babados na base do bolo.

Bolo Carmem Miranda

BOLO DE ABACAXI COM COCO

Receita do bolo

10 copos de cubinhos de abacaxi (pique o abacaxi e deixe os cubinhos escorrendo um pouco em uma peneira para perder o excesso de suco) • 5 copos de açúcar • 7 e 1/2 copos de farinha de trigo • 1 colher (chá) de sal • 5 colheres (chá) de bicarbonato de sódio • 2 e 1/2 copos de óleo • 5 ovos • 2 colheres (chá) de gengibre fresco ralado • 2 copos de coco ralado • 2 formas redondas com 15 cm de diâmetro • 2 formas redondas com 25 cm de diâmetro. Misture o abacaxi com o açúcar em uma tigela e deixe meia hora, até que solte bastante suco. Peneire a farinha com o sal, o bicarbonato e reserve. Misture o óleo, os ovos, o gengibre e o coco à mistura de abacaxi com açúcar, misture bem e junte a farinha peneirada. Mexa bem e coloque em duas formas de 15 cm de diâmetro, untadas e enfarinhadas e em 2 formas de 25 cm de diâmetro também untadas e enfarinhadas. Leve ao forno preaquecido a 180 °C por aproximadamente 1 hora ou até que, espetando um palito, este saia limpo.

Receita do recheio

450 g de doce de leite pastoso. Leve o doce de leite ao fogo até engrossar.

Montagem e decoração

Corte os bolos em camadas mais largas e monte seguindo as dicas a partir da página 86. Neste bolo, as camadas de recheio são bem finas e têm a função apenas de unir a massa, que é bem rica. Prepare duas receitas de pasta americana. Se estiver utilizando pasta americana industrializada, siga as orientações de rendimento do fabricante. Cubra os bolos com pasta tingida de amarelo gema. Coloque o bolo maior em uma tábua redonda de 35 cm forrada com a mesma pasta amarelo gema. Use a técnica de bolos de andares e monte o bolo, deixando o bolo menor mais próximo de um dos cantos do bolo. Faça os detalhes em pasta americana, usando cortadores de tamanhos variados, sobrepondo as camadas de pasta. Pinte com corante em pó dourado diluído em álcool de cereais. Modele a bonequinha e coloque no topo do bolo menor.

• Se quiser preparar esta receita como um bolo de chá da tarde, divida-a em duas.

FRUTAS E BALANGANDÃS

Após 1930, com o desmoronamento da nossa Primeira República, os brasileiros passaram a experimentar uma nova forma de nacionalismo, uma exaltação das nossas qualidades e belezas, uma revalorização da cultura e seus temas mais populares. É nesse contexto que a cantora Carmem Miranda, com suas fantasias tropicais, encanta o público local e se apresenta nos Estados Unidos, onde acabou fazendo carreira espetacular no cinema. A personagem representada por Carmem Miranda retomava uma figura criada em fins do século anterior, a baiana, introduzida nas artes brasileiras por Artur de Azevedo, quando apresentou a revista teatral A República, em 1890. Carmem Miranda se tornou uma espécie de embaixatriz cultural do Brasil e um símbolo do tropicalismo, já que os seus trajes e adereços remetiam à vivência descontraída e sensual que se credita ao povo brasileiro. Na verdade, Carmem Miranda tinha nascido em Portugal, mas veio para o Brasil ainda muito criança, de modo que assimilou desde cedo o jeito brasileiro de ser. Quando foi se apresentar nos Estados Unidos, em 1939, já era muito famosa e querida entre os brasileiros, tanto que causou alguns desapontamentos por não ter mais retornado, participando de muitos filmes americanos. Diziam que Carmem Miranda tinha ficado "americanizada"!

Bolo Azulejos do Maranhão

PÃO DE LÓ COM RECHEIO DE MANGABA

UMA CIDADE DECORADA

São Luís do Maranhão é uma cidade que beira a linha do Equador, onde o inverno (de janeiro a junho) é quente e chuvoso, e o verão (de julho a dezembro) é muito quente e seco. Não foi por acaso, portanto, que justamente numa cidade com esse perfil climático que os colonizadores portugueses encontrassem uma solução arquitetônica inovadora: os revestimentos de azulejos – que eram utilizados como decoração de paredes interiores – passaram a ser aplicados no lado de fora das construções, protegendo as paredes da umidade ou do calor. O resultado foi um grande número de sobrados com fachadas magníficas, revestidas de azulejos elaborados, variados e encantadores, que fazem da parte antiga de São Luís um verdadeiro museu a céu aberto. A arte da azulejaria não se encontra somente em São Luís, mas pode ser vista também em outras cidades históricas do Maranhão, tais como Alcântara, Guimarães, Caxias, Viana e Rosário. Por outro lado, o uso dos azulejos não se restringe às fachadas das residências, mas se estende aos prédios públicos, às igrejas e até aos cemitérios. Quanto aos padrões, estilos e cores dos desenhos estampados nos azulejos, os pesquisadores já conseguiram catalogar centenas deles, a maioria de origem lusitana. Existem, ainda, espalhados por todas as cidades antigas, os painéis artísticos que reproduzem cenas ou paisagens como se fossem pinturas, especialmente nas igrejas ou edifícios religiosos, representando os temas da cristandade.

Receita do bolo

16 ovos • 16 colheres (sopa) de açúcar (460 g) • 16 colheres (sopa) de farinha (380 g) • 1 colher de sopa de fermento em pó • 2 formas quadradas com 25 cm de lado. Bater as claras em neve e acrescentar as gemas. Adicionar o açúcar aos poucos e depois, da mesma maneira, adicionar a farinha peneirada com o fermento. Despejar a massa na forma untada com manteiga e farinha. Assar em forno preaquecido a 180 °C por 45 minutos.

Receita do recheio

950 g de polpa de mangaba • 700 g de açúcar. Juntar a polpa e o açúcar em uma panela, levar ao fogo baixo, deixar reduzir e engrossar, mexendo sempre.

Montagem e decoração

Monte o bolo seguindo as dicas a partir da página 86. Cubra-o com uma receita e meia de pasta americana branca e coloque-o em uma tábua quadrada com 35 cm de lado, também forrada. Tinja as sobras de pasta de azul escuro e amarelo e recorte quatro quadrados de 12 cm de lado. Cole-os no bolo com cola de CMC. Faça os desenhos com glacê real e bico perlê pequeno. Espere secar e pinte com corante dourado em pó diluído em álcool de cereais. Faça o acabamento na base do bolo com glacê real.

**** Se quiser preparar esta receita como um bolo de chá da tarde, divida-a em duas.***

Bolo Chita

BOLO DE HIBISCO COM GELEIA DE HIBISCO

O PANO DO POVO

Veio da longínqua e misteriosa Índia a trama de algodão estampada e o nome do tecido que conhecemos como chita. Após uma passagem por Portugal, os panos de chita chegaram ao Brasil no início do século 19, logo sendo distribuídos por todos os cantos do país. Dessa época, ainda existem algumas amostras de chita no acervo do Museu Décio Mascarenhas, exemplares com estampas florais miúdas possivelmente derivadas de uma padronagem inglesa chamada Liberty. Passado mais de um século, até hoje a chita é fabricada e muito comercializada no Brasil, como mostra a produção da Companhia Fabril Mascarenhas que, sob controle da mesma família, iniciou sua fabricação em 1912 e hoje produz o tecido rebatizado de chitão. O que faz da chita um chitão é apenas o aumento de largura e a intensidade das cores em suas estampas florais. Suas tramas de algodão são invariavelmente simples e, de início, a chita era utilizada apenas como toalhas de mesa e cortinados. Com o tempo, passou a vestir os escravos e a gente mais pobre. Só mesmo depois do amadurecimento do ciclo industrial, o modismo urbano começou a adotar a chita para seu vestuário, isso após ela ser difundida pelos intelectuais, hippies e tropicalistas. Nos tempos atuais, a chita é reconhecida como um dos símbolos mais vistosos da brasilidade, sendo largamente empregada nas festas juninas e manifestações da cultura popular. No ambiente da moda, a chita marca hoje um estilo "pop", descontraído e atraente, que agrada muito os consumidores das grandes cidades.

Receita do bolo

8 ovos • 600 g de açúcar • 300 ml de óleo • 400 ml de chá de hibisco bem forte • 1 pitada de sal • 680 g de farinha de trigo • 20 g de fermento em pó • 2 formas redondas com 25 cm de diâmetro. Bater as claras em neve com metade do açúcar. Reservar. Bater no liquidificador o restante do açúcar, as gemas, o óleo, o chá e o sal. Despejar a mistura em uma tigela, acrescentar e misturar a farinha de trigo peneirada, depois as claras em neve. Por último, o fermento. Colocar a massa em assadeira untada com manteiga e farinha de trigo. Assar em forno preaquecido a 180 °C por 50 minutos.

Recheio

900 g de geleia de hibisco

Montagem e decoração

Faça a montagem seguindo as dicas a partir da página 86, tendo o cuidado de cortar o bolo em fatias de aproximadamente 1 cm de largura. Prepare uma receita e meia de pasta americana. Se estiver usando pasta industrializada, siga as orientações de rendimento do fabricante. Faça um bolo redondo de 25 cm de diâmetro e cubra de verde claro. Coloque o bolo em uma base de 35 cm de diâmetro forrada com pasta americana. Usando os moldes, recorte as flores da chita e cole no bolo. Usando cortadores de flor menores, corte flores variadas e cole-as no bolo. Pinte as flores com corantes em gel diluídos em conhaque. Decore a borda com glacê amarelo.

** Se quiser preparar esta receita como um bolo de chá da tarde, divida-a em duas.*

Bolo Índios

BOLO DE AIPIM COM COCO E GENGIBRE

A LINGUAGEM DAS CORES

Eram milhões. Ainda não podemos precisar quantos, mas certamente contavam-se aos milhões os sílvicolas que viviam no continente sul americano às vésperas da chegada dos conquistadores europeus. Eram tantos que podiam se espalhar por todo o território que viria a ser brasileiro: os tupis-guaranis, os jês, os aruaques. Essas três grandes nações indígenas, que falavam línguas distintas, reuniam variados subgrupos que adotavam inúmeras linguagens. Em comum, mantinham o viver primitivo, o coletivismo, a nudez e a poligamia. Algumas tribos eram ferozes e praticavam até o canibalismo, sendo a guerra uma prática geral, uma forma violenta de se relacionar. Os ameríndios encontrados pelos primeiros exploradores europeus se apresentaram nessa simplicidade ingênua: nús e um tanto enfeitados. Usavam vistosos cocares de penas muito coloridas. Essa arte plumária variava muito conforme a tribo e de acordo com os objetivos de representação. O cocar não se resumia num enfeite aleatório, mas trazia seus significados sobre a floresta, os animais, a organização comunitária, bem como simbolizava uma certa distinção daquele que exibia o adorno de penas. Mas não era somente através dos cocares que os povos da floresta tropical utilizavam a linguagem das cores: seus corpos também eram muito pintados, ora para a caça, ora para a guerra, a pintura corporal era ainda indispensável para o ritual e para a festança. Cada tribo e até mesmo cada família podia desenvolver seu próprio padrão de pintura, desenhos que corriam pelas faces e pelo restante do corpo. De corpos naturalmente bem feitos e bonitos, os ameríndios ganhavam mais beleza e elegância com a arte plumária e a pintura corporal.

Receita do bolo

• 500 g de aipim ralado • 125 g de manteiga • 250 g de açúcar • 4 ovos • 50 ml de leite de coco • 10 g de gengibre • 125 g de coco ralado fresco • 1 forma redonda com 15 cm de diâmetro e com 10 cm de altura.

Ralar o aipim, lavar para tirar a goma e espremer para tirar o excesso de água. Peneirar e reservar. Bater a manteiga com o açúcar até ficar um creme branco. Adicionar os ovos um a um. Continuar batendo. Adicionar o leite de coco, o coco ralado fresco, o aipim reservado e o gengibre. Despejar a mistura na forma untada, encher até 3/4. Assar em forno preaquecido por 1 hora a 150 °C.

Montagem e decoração

As penas devem ser feitas com antecedência: com a ajuda do bisturi, recorte as penas com massa elástica aberta bem fina. Marque o centro e picote as bordas com a ajuda de uma tesourinha. Espere secar 24 horas e pinte a gosto com corantes comestíveis em pó. Espere que o bolo esteja totalmente frio. Coloque-o em uma base com o mesmo diâmetro do bolo, colando com glacê real. Passe uma fina camada de glacê real por todo o bolo e cubra-o com meia receita de pasta americana tingida no tom de areia (corantes amarelo e marrom). Se estiver usando pasta industrializada, siga as orientações de rendimento do fabricante. Cole as penas com glacê real e coloque o bolo em uma base redonda de 20 cm de diâmetro, coberta com a mesma pasta tingida de areia. Faça o acabamento.

Bolo Frevo

BOLO DE PITANGA

A FOLIA NORDESTINA

A folia carnavalesca começou a ser vista pelas ruas de Olinda e Recife por influência dos portugueses. Era o entrudo, uma tradição que se repetia anualmente, quando os foliões rompiam as posturas do cotidiano e passavam a jogar farinha, água e tinturas sobre os transeuntes. Com o passar do tempo, surgiram restrições e proibições para essas práticas que incorporaram, então, o confete e a serpentina. Os festejos carnavalescos mais alegres e musicados, abrilhantados pela introdução do frevo, somente apareceram em fins do século 19. Aos poucos é que foram sendo organizadas agremiações carnavalescas como a Lenhadores, de 1907, e a Vassourinhas, em 1912. Sem contar as fantasias individuais dos foliões, o carnaval pernambucano apresenta até hoje suas mais autênticas tradições populares. Todos os anos desfilam os maracatus, blocos de frevo e afoxés, agremiações que preservam os elementos genuínos da festa carnavalesca nordestina. Não faltam, ainda, os famosos bonecos gigantes, representando diversos tipos curiosos e populares, que descem as ladeiras e se encontram para o delírio dos foliões. O Homem da Meia-Noite teria sido o primeiro boneco gigante a sair nas ruas de Olinda, em 1932. Dizem que o frevo é um ritmo que derivou da marchinha e do maxixe, uma batida acelerada que começou a ser executada no final do século 19 em Recife. Com a incorporação de movimentos típicos da capoeira, surgiu o passo, a dança correlata do frevo. Contam que os capoeiristas costumavam sair à frente dos blocos para escoltar seus estandartes, protegendo-os de ataques rivais. Assim, as coloridas sombrinhas, que atualmente caracterizam a dança do frevo, seriam uma alegoria originada das acrobacias dos capoeiristas. O termo "frevo" parece ser uma corruptela de "ferver", significando a agitação, a efervescência alucinante da dança carnavalesca.

Receita do bolo

400 ml de suco de pitanga • 160 g de açúcar • 700 g de geleia de pitanga • 8 ovos • 360 g de farinha de trigo • 30 g de fermento em pó • 2 formas redondas com 15 cm de diâmetro • 2 formas redondas com 10 cm de diâmetro. Bater no liquidificador o suco, o açúcar, a geleia e as gemas. Colocar a mistura em um bowl grande, adicionar a farinha e o fermento. Juntar as claras em neve, mexendo delicadamente até a massa ficar homogênea. Despejar a massa nas formas untadas com manteiga e farinha, assar em forno preaquecido a 180 °C por 45 minutos.

Receita do recheio

Geleia de pitanga: (para bolo e recheio) • 1,8 kg polpa de pitanga • 1,2 kg de açúcar. Juntar a polpa e o açúcar em uma panela, levar ao fogo baixo, deixar reduzir por mais ou menos 1 hora, mexendo sempre. Espere esfriar e utilize a geleia na massa e para rechear.

Montagem e decoração

Faça a montagem de acordo com as dicas a partir da página 86. Prepare uma receita de pasta americana e separe um pouco de pasta branca para as decorações. Cubra os bolos com pasta americana tingida de amarelo gema. Se estiver usando pasta industrializada, siga as orientações de rendimento do fabricante. Coloque o bolo em uma base de 20 cm de diâmetro, também forrada com pasta americana. Com a técnica de bolos de andares, monte o bolo. Faça os confetes com pasta americana de cores variadas, utilizando um bico perle largo como cortador e modele a sombrinha, colando-a no bolo. Faça o acabamento com glacê real vermelho e bico perle.

** Se quiser preparar esta receita como um bolo de chá da tarde, divida-a em duas.*

Bolo Vila Rica

BOLO DE GOIABA COM RECHEIO DE QUEIJO

O SÉCULO DOURADO

Foi apenas no alvorecer do terceiro século que a colonização conseguiu tirar o ouro das entranhas da terra brasileira. Realmente, ao longo do século 18, muito ouro brilhou no Brasil: fala-se que, durante esse período, chegam a mil as toneladas do metal precioso que foram embarcadas para Lisboa, e de lá para a Inglaterra... A garimpagem gerou fortunas, criou cidades, agregou mais escravos; a província mineira atraía brancos e negros, moços e velhos, fidalgos e comerciantes, magistrados e agentes do governo, clérigos, aventureiros, artesãos e artistas, tornando-se, durante décadas, o polo mais dinâmico da economia colonial. As vilas que brotavam entre os veios de ouro ostentavam uma arquitetura enfeitada e faustosa nunca vista nos limites coloniais; as igrejas, especialmente, eram decoradas com esplendor e foi na zona mineira que surgiram as primeiras manifestações de cultura artística, o teatro e a poesia, a música, a pintura e a escultura. A versão barroca da exploração aurífera parece ter envolvido toda a população mineira, incluindo, evidentemente, os escravos, que – através de suas irmandades religiosas – construíram suas próprias igrejas. Até hoje muitos turistas se encantam com o barroco brasileiro preservado nas fachadas, pinturas e esculturas que restaram nas áreas de garimpagem. Minas Gerais foi a província que fez uma história singular, forjando sua própria tradição cultural, delineando seu jeito mineiro de ser. Povo religioso, pacato e respeitoso, maneiroso e conciliador, a população mineira desenvolveu uma forma especial de acolher: quem conhece, não esquece jamais!

Receita do bolo

400 g de manteiga • 250 g de açúcar • 15 gemas • 2 kg de goiabada pastosa • 400 g de farinha de trigo • 15 claras • 4 formas redondas com 20 cm de diâmetro. Na batedeira, bater a manteiga com o açúcar até virar um creme. Juntar as gemas, a goiabada e depois a farinha peneirada. Por último, acrescentar as claras em neve, mexendo delicadamente com auxílio de uma colher. Assar nas formas untadas com manteiga e enfarinhada, a 150 °C por mais ou menos uma hora.

Receita do recheio

350 g de cream cheese • 90 g de manteiga em temperatura ambiente • 380 g de açúcar impalpável • 60 g de queijo parmesão ralado. Numa batedeira, bater o cream cheese com a manteiga até formar um creme, adicionar o açúcar e o queijo aos poucos.

Montagem e decoração

Faça a montagem seguindo as dicas a partir da página 86. Prepare uma receita de pasta americana e tinja de rosa claro. Se estiver usando pasta industrializada, siga as orientações de rendimento do fabricante. Cubra o bolo e uma tábua redonda de 30 cm de diâmetro. Trace os desenhos e arabescos na lateral do bolo, com glacê real tingido de rosa, usando saco de confeitar e bico perle. Espere secar e pinte com corante em pó dourado diluído em álcool de cereais. Faça os acabamentos.

Bolo Trancoso

BOLO DE CAPIM SANTO COM BRIGADEIRO DE CAPIM SANTO

A ESQUINA DO MUNDO

Trancoso é uma povoação bem conhecida pelos brasileiros e por muitos estrangeiros, um lugar que reúne habitações de gente simples, mas que também abriga moradores e visitantes requintados; um vilarejo que oferece serviços sofisticados, um espaço frequentado por intelectuais e artistas. Assim é o perfil aparentemente contraditório de Trancoso, ao sul da costa baiana, uma minúscula vila que restou esquecida e isolada praticamente até a década de 70 do século passado, quando foi "descoberta" por grupos de jovens adeptos de uma das variantes da contracultura, os hippies, que foram os primeiros a valorizar o mistério da paz que a natureza concentra naquele lugar. O povoado de Trancoso se assenta num platô, rodeado de grandes falésias, por onde se distribuem pequenas e antigas habitações, tendo como núcleo central uma praça gramada defronte à igreja: é o Quadrado, uma área cercada de grandes árvores com vista para o mar, de modo que a privilegiada aldeia de Troncoso pode se dar ao luxo de entrar no sexto século de nossa história ainda como um paraíso, um refúgio mágico e acolhedor. É bem provável que por volta do ano de 1500 já existisse ali uma pequena aldeia indígena, no mesmo platô onde depois se formaria Trancoso: era a aldeia pataxó de Boipeba. Tempos depois, os missionários reduziram os silvícolas sob o patrocínio de São João Batista, fundando – em 1586 – a aldeia de São João dos Índios. Por volta de 1760, quando os jesuítas foram expulsos do Brasil, a povoação de São João dos Índios reunia apenas 62 habitações, sendo que apenas 14 delas eram cobertas de telhas. Trancoso foi se esgueirando pelo tempo, mas, com a chegada dos adventícios, a partir dos anos 70 do século passado, começou a absorver o influxo de gente urbanizada de diferentes culturas. A antiga São João dos Índios agora é uma aldeia citadina, onde os brasileiros mais autênticos, herdeiros dos donos da terra e filhos da colonização, convivem fraternalmente com representantes dos povos mais distantes do planeta, afinal, todos podem se identificar através da mediação encantada da natureza!

Receita do bolo

540 ml de leite • 150 g de capim santo em folha • 75 g de manteiga • 12 ovos • 720 g açúcar • 600 g de farinha de trigo • 30 g de fermento em pó • 3 formas quadradas com 20 cm de lado. Bater no liquidificador o leite com o capim santo até o leite ficar bem verdinho. Coar, acrescentar a manteiga e amornar. Reservar. Numa batedeira, bater as claras em neve, depois adicionar as gemas, bater até clarear, adicionar o açúcar. Acrescentar a farinha de trigo peneirada, alternando com o leite morno de capim santo. Por último, agregar o fermento em pó. Despejar nas formas untadas com manteiga e farinha, assar a 180 °C por 45 minutos.

Receita do recheio

1,185 kg de leite condensado (3 latas) • 4 gemas • 120 g de capim anto • 360 ml de creme de leite fresco. Bater no liquidificador o leite condensado, com as gemas e o capim santo. Peneirar; com auxílio de uma colher, espremer bem todo o sumo do capim. Juntar em uma panela todos os ingredientes, levar ao fogo baixo e deixar apurar até desgrudar do fundo da panela, mexendo sempre.

Montagem e decoração

Corte o bolo em camadas de aproximadamente 1 cm de largura e faça a montagem de acordo com as explicações do caderno técnico. Prepare uma receita de pasta americana e cubra o bolo. Se estiver usando pasta industrializada, siga as orientações de rendimento do fabricante. Coloque em uma base quadrada de 30 cm de lado, forrada com pasta americana branca. Com a ajuda de cortadores de biscoito, recorte as casinhas e a igrejinha e cole-as no bolo usando cola de CMC. Pinte com corantes em gel diluídos em conhaque. Faça o acabamento na base do bolo com glacê real.

***Se quiser preparar esta receita como um bolo de chá da tarde, divida-a em duas.**

DO SENHOR DO
DO SENHOR DO BONFIM DA
DO SENHOR DO
SENHOR DO BONFIM DA
DO SENHOR DO BONFIM
DO SENHOR DO
DO SENHOR DO BONFIM
SENHOR DO BONFIM
DO SENHOR DO
DO SENHOR DO BONFIM
DO SENHOR DO
DO SENHOR DO BONFIM
DO SENHOR DO
DO SENHOR
DO SENHOR DO

Bolo Senhor do Bonfim

BOLO DE COCO QUEIMADO

AS FITAS DO SENHOR DO BONFIM

Nas imediações de uma das mais famosas igrejas de Salvador, os visitantes não resistem e acabam comprando as coloridas fitas do Senhor do Bonfim. Amarradas ao pulso, com nós que representam pedidos, elas devem ser usadas até que o esgarçamento do tempo as faça cair; será, então, que os pedidos serão realizados. A tradição das fitas do Senhor do Bonfim começou no século 19, quando as beatas passaram a confeccionar o que se chamava de "medidas", ou seja, fitas que mediam 47 centímetros, exatamente o comprimento do braço da imagem do Senhor do Bonfim. Essas "medidas" eram douradas ou prateadas e continham desenhos e bordados. Só por volta de 1960 é que as fitas se transformaram em pulseiras multicores. Cada cor de fita do Senhor do Bonfim simboliza um Orixá: amarela para Oxum, verde para Oxossi, azul para Iemanjá.

Receita do bolo

8 ovos • 160 g de açúcar • 400 ml de leite de coco • 700 g de cocada • 360 g de farinha de trigo • 30 g de fermento • 2 formas quadradas de 25 cm de lado. Bater as claras em neve com o açúcar. Bater no liquidificador o leite de coco, a cocada e as gemas. Colocar a mistura em uma tigela grande, adicionar a farinha e o fermento. Juntar as claras em neve, mexendo delicadamente até a massa ficar homogênea. Despejar a massa nas formas untadas com manteiga e farinha. Assar em forno preaquecido a 160 °C por 45 minutos.

Receita do recheio

Cocada (para bolo e recheio) • 1 kg de açúcar • 1 litro de água • 5 cravos-da-índia • 2 kg de coco seco ralado grosso • 200 g de leite condensado. Diluir o açúcar na água e adicionar os cravos. Levar ao fogo baixo e deixar ferver sem mexer até obter uma calda cor de caramelo. Agregar o coco ralado, misturar bem e deixar cozinhar por 5 minutos. Reserve 700 g de cocada para o bolo e para o recheio acrescente o leite condensado.

Montagem e decoração

Faça a montagem seguindo as dicas a partir da página 86, cortando as camadas de massa com 1 cm de largura. Prepare uma receita de pasta americana e cubra o bolo. Se estiver usando pasta industrializada, siga as orientações de rendimento do fabricante. Cole o bolo em uma tábua de 25 cm de lado forrada com pasta branca. Tinja pequenas porções de massa elástica de cores variadas, abra-as em tiras bem finas e com pelo menos 45 cm de comprimento por 1 cm de largura. Recorte as fitas e mantenha-as cobertas com plástico enquanto termina a decoração (para que não ressequem). Com corante em gel preto diluído em conhaque ou com uma canetinha de corante comestível, escreva os dizeres das fitas do Bonfim e cole-as no topo do bolo, com cola de CMC, deixando-as cair pelas laterais de forma mais irregular.

Bolo Coroa Portuguesa

BOLO DE CASTANHA PORTUGUESA COM OVOS MOLES

UM TRONO NO OCEANO

Naquela manhã de 29 de novembro de 1807, a população lisboeta acompanhava atônita a enorme frota que se afastava, abandonando a barra do Tejo, aprumando para o mar alto. Era uma cena que ninguém poderia esperar, imaginar, profetizar: toda a gloriosa Corte lusitana estava fugindo! A decisão final sobre a partida tinha sido tomada quando os exércitos de Napoleão já estavam às portas de Lisboa. Foi assim que o trono balançou pelas vagas do Atlântico, estabelecendo-se temporariamente no Rio de Janeiro. Embarcados às pressas, cerca de cinco mil portugueses acostumados às mordomias do poder tiveram que se submeter a uma penosa travessia, sem contar que encontrariam uma cidade mal equipada para receber tanta gente importante. O Rio de Janeiro daquele tempo tinha uma população aproximada de 60.000 habitantes, quase a metade composta por escravos, e simplesmente não existiam moradias suficientes para abrigar os cortesãos vindos de Lisboa. A solução foi desalojar grande parte das famílias cariocas, até mesmo as mais enricadas e poderosas, para que habitações decentes fossem destinadas a desde os mais altos funcionários até os mais subalternos lacaios e serviçais. Apesar de todos os transtornos, essa transferência do trono português causou mudanças extremamente importantes. Com o desembarque real, a colônia brasileira simplesmente teve seu status elevado, pois não existia mais uma metrópole centralizando o poder e intermediando o comércio. Além disso, com a administração de D. João sediada no Rio de Janeiro, ações de governo importantes foram desencadeadas, estruturando a máquina do Estado, incentivando o comércio e a indústria, fundando escolas, bibliotecas e imprensa.

Receita do bolo

45 ovos • 1.850 g de açúcar • 1.500 g de castanha portuguesa (cozida, descascada e moída) • 500 g de farinha de trigo • 250 ml de vinho do porto • 2 formas com 15 cm de diâmetro • 2 formas de 25 cm de diâmetro • 2 formas de 35 cm. Bater as claras em neve com metade do açúcar. Reservar. Bater na batedeira as gemas com o restante do açúcar até formar um creme claro. Juntar a castanha portuguesa, a farinha de trigo, o vinho do porto e misturar sem bater. Agregar as claras em neve, mexendo delicadamente, com auxílio de uma colher. Colocar a mistura nas formas untadas com manteiga e farinha. Assar em forno preaquecido a 140 °C, por 50 minutos.

Receita do recheio

1.400 ml de água • 1.400 g de açúcar • 150 g de farinha de arroz • 40 gemas. Fazer uma calda com 300 ml de água e o açúcar, até ponto de fio fino. Reservar. Hidratar a farinha de arroz com a água restante. Colocar na calda de açúcar e deixar ferver por 5 minutos, mexendo sempre. Retirar do fogo, agregar as gemas peneiradas e voltar ao fogo baixo, mexendo até engrossar.

Montagem e decoração

A coroa pode ser feita com um dia de antecedência. Ela é esculpida a partir de um bolinho de 10 cm de diâmetro e 8 cm de altura, podendo ser utilizada uma peça de isopor com as mesmas dimensões. Com uma faca de serra ou estilete (no caso do isopor), esculpa o formato da coroa. Cubra-a com pasta americana vermelha e faça os detalhes com corante dourado diluído em álcool de cereais. Corte e recheie os bolos seguindo as dicas do caderno técnico e deixe-os na geladeira por algumas horas. Caso queira, o bolo também pode ser montado com peças de isopor, nas mesmas dimensões dos andares. Cubra os bolos (35 cm, 25 cm e 15 cm de diâmetro, todos com 10 cm de altura) com 4 receitas de pasta americana branca. Se estiver usando pasta industrializada, siga as orientações de rendimento do fabricante. Coloque o bolo em uma base de 45 cm de diâmetro, também forrada com pasta americana. Monte os andares, colocando as estacas. Recorte tiras de massa elástica vermelha e verde e cole na base dos bolos. Faça o acabamento com glacê real branco.

**** Se quiser preparar esta receita como um bolo de chá da tarde, divida-a por cinco.***

Bolo Gaúcho

BOLO DE ERVA-MATE COM RECHEIO DE MAÇÃ

A QUERÊNCIA DOS PAMPAS

Dos índios, o gaúcho adotou a boleadeira, o laço, o chimarrão e toda uma estrutura de crenças e lendas que interpretam os desafios da realidade. Dos bandeirantes paulistas, o gaúcho assimilou uma certa organização de equipe, uma objetividade que fazia parte do tropeirismo. Jesuítas e povoadores açorianos incutiram nos gaúchos a religiosidade e o sentimento de família. Dos africanos, podem ter herdado a descontração e a comilança mais variada. Generoso e corajoso, o gaúcho cultiva principalmente a sua liberdade: é impetuoso e não raramente exibe uma certa arrogância. Elegantes e sensuais, os gaúchos exercem a sedução tanto para ganhar amizades quanto para conquistar suas prendas. Vagando pelos pampas, transpondo as sangas e coxilhas, esses cavaleiros pitorescos personalizam a cultura riograndense. O extremo sul do Brasil sempre foi uma terra de transição, uma região de fronteiras, onde as guerras com o castelhano e os conflitos internos marcaram profundamente o estilo de vida da gente gaúcha. Muitas vidas se perderam para que o Brasil pudesse manter o seu território ao sul intocado: o gaúcho, que de campeiro logo se transformava em guerreiro, foi o heróico defensor das nossas fronteiras. Com seu chapéu de aba virada, com suas bombachas largas que se ajustam nos canos das botas, sempre altivo no seu pala esvoaçante, o gaúcho que não dispensa os hábitos da querência regional mas carrega no peito a alma brasileira, é um genuíno brasileiro sulista, um personagem da nossa história, um admirável integrante da cultura nacional.

Receita do bolo

6 ovos • 450 g de açúcar • 225 ml de óleo • 300 ml de chá de erva-mate bem forte • 3 g de sal • 510 g de farinha de trigo • 18 g de fermento em pó • 2 formas redondas com 20 cm de diâmetro • Bater as claras em neve com metade do açúcar. Reservar. Bater no liquidificador o restante do açúcar, as gemas, o óleo, o chá e o sal. Despejar a mistura numa tigela, acrescentar e misturar a farinha de trigo peneirada, depois, as claras em neve e por último o fermento. Colocar a massa na assadeira untada com manteiga e farinha de trigo. Assar a 180 °C por 50 minutos.

Receita do recheio

2 maçãs raladas • 885 g de leite condensado (3 latas) • 3 gemas. Juntar numa panela todos os ingredientes, levar ao fogo baixo e deixar apurar até desgrudar do fundo da panela, mexendo sempre.

Montagem e decoração

Faça a montagem seguindo as dicas a partir da página 86. Prepare uma receita de pasta americana. Modele o bonequinho. Cubra o bolo com pasta tingida de verde. Coloque em uma tábua de 30 cm de diâmetro e faça os lenços com massa elástica tingida de vermelho.

***** Se quiser preparar esta receita como um bolo de chá da tarde, faça meia receita.*

Bolo Corpus Christi

BOLO DE PINHÃO COM RECHEIO DE BRIGADEIRO BRANCO

O CAMINHO DO SENHOR

Todos os anos, nas quintas-feiras logo depois do domingo dedicado à Santíssima Trindade, os cristãos de muitas cidades brasileiras fazem a procissão dedicada a Corpus Christi – ou Corpo de Cristo –, uma das mais belas comemorações religiosas do calendário católico. No Dia de Corpus Christi, feriado nacional, os leitos das ruas são decorativamente forrados para a passagem do ostensório que contém a hóstia consagrada, acompanhada pela procissão em prece. Para a montagem do verdadeiro tapete que enfeita o trajeto da procissão, os religiosos utilizam serragem colorida, pó de café, tampinhas de garrafa, folhas e flores. Desenhos piedosos lembrando o mistério da Eucaristia, a figura de Cristo e a Ressurreição costumam ser pintados a cada trecho, dividindo as sequências de padrões geométricos. A homenagem pública ao Corpo de Cristo foi criada na Europa do século 13, sendo transplantada para o Brasil inicialmente pelos conquistadores portugueses, e foi difundida posteriormente pelos imigrantes europeus, principalmente os italianos. O ritual consiste na realização de uma missa, na saída em cortejo por caminhos enfeitados, e finaliza com a adoração de Corpus Christi, a transfiguração na hóstia consagrada.

Receita do bolo

960 g de pinhão cozido e triturado • 7 ovos • 750 ml de leite • 500 ml de óleo • 650 g de açúcar • 750 g de farinha de trigo • 40 g de fermento em pó • 15 g de canela • 2 formas quadradas com 25 cm lado. Bater no liquidificador o pinhão, os ovos, o leite e o óleo até ficar homogêneo. Colocar a mistura num bowl grande, acrescentar os demais ingredientes peneirados. Assar em forno preaquecido a 180 °C , na forma untada e enfarinhada por 45 minutos.

Receita do recheio

1.975 g de leite condensado (5 latas) • 200 ml de creme de leite fresco • 2 gemas. Juntar todos os ingredientes em uma panela, levar a fogo baixo, mexer até desgrudar do fundo da panela.

Montagem e decoração

Faça a montagem seguindo as dicas a partir da página 86. Prepare uma receita e meia de pasta americana e cubra o bolo. Se estiver usando pasta industrializada, siga as orientações de rendimento do fabricante. Coloque o bolo em uma base de 35 cm de lado forrada com pasta americana. Usando cortadores de flores pequenos, faça flores em cores variadas. Forme os desenhos como se fosse um mosaico, colando as flores lado a lado no bolo, com cola de CMC. Faça o acabamento com glacê real amarelo.

Bolo Iemanjá

BOLO DE COCO COM RECHEIO DE COCO

A RAINHA DO MAR

Filha de Olokum, o deus do mar, Iemanjá era casada com Orumila, o deus da adivinhação. Depois, Iemanjá casou com Olofin, rei de Ifé, com quem teve dez filhos, que são os orixás. A lenda diz que Iemanjá, por algum motivo, fugiu no rumo do oeste e Olokum, seu pai, lhe entregou uma garrafa cujo conteúdo só devia ser utilizado em caso de grande necessidade. Após a fuga de Iemanjá, seu marido Olofin pôs um exército no seu encalço e ela, cercada, quebrou a garrafa conforme o pai havia orientado. Foi, então, que daquele líquido poderoso jorrou um grande rio, no qual Iemanjá foi levada para o mar, a morada de Olokun. Essa Iemanjá, genuinamente africana, atravessou o oceano Atlântico e surgiu na costa brasileira, onde foi recebida e cultuada pela gente que vivia à beira do mar. Do litoral, a admiração e o culto a Iemanjá foi se espalhando pelas cidades, angariando cada vez mais devotos. Iemanjá chegou até a ser representada numa santa católica, a Senhora dos Navegantes. Na festa de reveillon, nas praias do Rio de Janeiro, milhares de cariocas e turistas comemoram a chegada do ano novo pulando sete ondas e jogando ao mar diversas oferendas para Iemanjá, num ritual para atrair bons fluídos e muita sorte. Iemanjá é um nome que já era pronunciado no meio da nação iorubá, pois designava um rio localizado entre Ifé e Ibadan, o rio que até hoje se chama Yemoja. Divindade destacada na religião da Umbanda, além de Rainha do Mar, Iemanjá é a padroeira dos náufragos e incorpora simbolismos da sensualidade feminina, da fertilidade e da maternidade.

Receita do bolo

300 ml de leite • 300 ml de leite de coco • 900 g de açúcar • 250 g de manteiga • 16 ovos • 900 g de farinha de trigo • 250 g de coco ralado fresco • 60 g de fermento em pó • 2 formas redondas com 25 cm diâmetro • 2 formas redondas com 15 cm de diâmetro. Misturar o leite e o leite de coco numa panela e ferver. Reservar. Numa batedeira, bater o açúcar com a manteiga. Juntar as gemas uma a uma. Acrescentar o leite e o leite de coco morno. Agregar a farinha peneirada e o coco ralado. Por último, com a batedeira desligada, juntar o fermento e as claras em neve, mexer delicadamente. Assar na forma untada e enfarinhada, em forno preaquecido a 180 °C, por 50 minutos.

Receita do recheio

1 litro de leite de coco • 1 litro de leite • 600 g de leite condensado • 9 gemas. Misturar todos os ingredientes numa panela, levar ao fogo baixo, mexendo sem parar até formar um creme.

Montagem e decoração

Corte os bolos em camadas de aproximadamente 1 cm de largura. Faça a montagem seguindo as dicas a partir da página 86, colocando camadas finas de recheio. Faça uma receita e meia de pasta americana. Se estiver usando pasta industrializada, siga as orientações de rendimento do fabricante. Cubra-os com pasta americana tingida de azul claro. Coloque o bolo maior em uma tábua de 35 cm de diâmetro. Usando a técnica de andares, monte o bolo. Modele a bonequinha da Iemanjá e cole no topo do bolo. Faça a espuma do mar com glacê real branco. Usando pasta americana branca, modele bolinhas para o acabamento das bases dos bolos e pinte-as com corante perolado em pó diluído em álcool de cereais.

** Se quiser preparar esta receita como um bolo de chá da tarde, divida-a por quatro.*

Bolo Flores da Amazônia

BOLO DE CASTANHA-DO-PARÁ COM RECHEIO DE AÇAÍ

A FLORESTA DO AMAZONAS

De todos os rios do Brasil, o mais espetacular é o mundialmente conhecido Amazonas. Com suas nascentes no Peru, ele cruza toda a parte mais larga da América do Sul e desagua no oceano Atlântico. Em comprimento, é o segundo maior rio do mundo, mas, em volume de água, ocupa o primeiro lugar com seus 100 mil metros cúbicos de vazão por segundo! O rio Amazonas é a coluna dorsal da fantástica floresta amazônica, onde as árvores chegam a alcançar até 60 metros de altura, formando uma mata tão densa que, abaixo das copas da vegetação, forma-se um ambiente escuro e extremamente úmido. A Amazônia, com toda a sua riqueza e diversidade, é uma explosão de exuberância, um verdadeiro presente da natureza, a mais verdejante joia do território brasileiro. Maior floresta tropical do planeta, a Amazônia se localiza no norte do país, na altura da linha equatorial. Seu clima é quente e úmido, o que provoca chuvas muito abundantes. Sua biodiversidade é quase incalculável, tamanha é a diversidade de vida que abriga. Esse gigantesco e harmonioso conjunto de terra, ar, água, flora e fauna, além de promover sua própria renovação, é um dos principais responsáveis pela respiração do planeta, como se fosse o pulmão do mundo. Das flores da Amazônia, a mais famosa é a Vitória Régia, com sua enorme folha circular que flutua nas águas, porém, a floresta abriga uma infindável variedade de flores coloridas ou delicadas, atraentes ou decorativas, formando um cenário mágico e encantador.

Receita do bolo

1.200 g de manteiga • 1.200 g de açúcar • 24 ovos • 7.200 g de farinha de trigo • 600 g de castanha-do-pará moída • 50 ml de essência de baunilha. Andar de 35 cm: duas formas redondas de 35 cm de diâmentro. Para completar os 3 andares do bolo, deve-se duplicar a receita acima utilizando: 2 formas com 15 cm de diâmetro e duas formas de 25 cm de diâmetro. Em uma batedeira, bater a manteiga com o açúcar. Adicionar os ovos, um a um. Agregar a farinha de trigo, a castanha-do-pará moída e a essência de baunilha. Assar na forma untada e enfarinhada, em forno preaquecido a 160 °C, por mais ou menos 55 minutos.

Receita do recheio

2,8 kg de polpa de açaí • 2 kg de açúcar. Juntar a polpa e o açúcar em uma panela, levar ao fogo baixo, deixar reduzir por mais ou menos 1 hora, mexendo sempre.

Montagem e decoração

Faça a montagem do bolo seguindo as dicas a partir da página 86, tendo o cuidado de cortar as camadas de bolo bem finas (aproximadamente 1 cm). Prepare quatro receitas de pasta americana e cubra os bolos e a tábua de 45 cm de diâmetro com pasta tingida de verde. Se estiver usando pasta industrializada, siga as orientações de rendimento do fabricante. Utilizando a técnica de bolos de andares, monte o bolo. Modele as flores com massa elástica de cores variadas. Cole nas laterais do bolo com cola de CMC. Cole o bolo na tábua e faça o acabamento.

***** Se quiser preparar esta receita como um bolo de chá da tarde, divida-a por quatro.**

Minibolo Mercado

BOLO DE PUPUNHA E CASTANHA-DO-PARÁ

OS SABORES DA FLORESTA

O Ver-o-Peso não é simplesmente um mercado da cidade de Belém: é um complexo arquitetônico histórico e cultural que exprime os valores e sabores da região Norte do Brasil. À volta do Mercado de Ferro encontram-se o Mercado da Carne, a Praça do Relógio, a Feira do Açaí, a Praça do Pescador, a Doca e a Ladeira do Castelo, locais de comércio e trânsito que formam o conjunto mais harmonioso, atrativo e turístico da porta da Amazônia. Por ali são canalizados todos os produtos da floresta e dos rios, sendo comercializadas as mercadorias mais consumidas pela população de Belém ou pelas vilas ribeirinhas. A curiosa denominação "ver-o-peso" deriva da criação das Casas do Ver-o-Peso, criadas ainda no início do século 17 pela Coroa Portuguesa para aferir os impostos sobre as mercadorias. Desde o ano de 1625, o Mercado Ver-o-Peso se encontra no antigo porto do Pirí, na Baía do Guarajará, fornecendo, além de peixes e outros produtos alimentícios, uma variada gama de ervas mediciniais, além das comidas prontas e bem típicas da cozinha paraense. Os frutos nativos da região norte são tradicionalmente valorizados pela população paraense e muito apreciados pelos visitantes e turistas, que ficam extasiados com a profusão dos sabores da floresta. O conjunto arquitetônico do Ver-o-Peso ainda brinda os frequentadores com um setor de artesanato, onde se exibem utilidades, adornos e peças decorativas, como a célebre cerâmica marajoara.

Receita do bolo

400 g de polpa de fruta de pupunha cozida e amassada • 400 g de açúcar • 300 g de farinha de trigo • 1 colher (chá) de fermento em pó • 1 colher (chá) de bicarbonato de sódio • 1 pitada de sal • 4 ovos grandes • 200 g de manteiga derretida • 50 g de castanha-do-pará picada • 4 formas redondas com 10 cm de diâmetro. Pupunha: a fruta vem em cachos e parece um coquinho. Deve-se fazer um corte em uma das pontas em cruz e colocar em bastante água fervente, com uma pitada de sal. Cozinhar até que fiquem macias, deixando-as descascar. Bater a pupunha no processador de alimentos junto com o açúcar. Peneirar a farinha com o fermento, o bicarbonato e o sal. Colocar a pupunha na batedeira e juntar os ovos, a manteiga, a castanha e a mistura de farinha. Levar ao forno preaquecido a 180 °C por 50 minutos.

Montagem e decoração

Prepare uma receita de pasta americana. Cole uma tira de pasta americana no meio do bolo, com glacê real (para dar volume ao cesto) e cubra as laterais do bolo com pasta americana marrom. Marque a textura de madeira com a ajuda de uma esteca. Cubra o topo do bolo com folhas feitas com pasta americana verde. Modele as frutas em pasta americana e cole em cima do bolo usando cola de CMC.

Bolo Pau-Brasil

BOLO DE MAMÃO PAPAIA E CASSIS

A COR DA IBIRAPITANGA
Os ameríndios, distribuídos em vários povos e tribos pelo imenso território descoberto em nome do Reino de Portugal no ano de 1500, não foram capazes de criar um só nome que identificasse tamanha extensão. A primeira nomeação abrangente do lugar foi dada pelos conquistadores portugueses: Santa Cruz. Entretanto, logo se encontrou designação mais apropriada para o grande descobrimento, dada a existência de enorme quantidade da Ibirapitanga, uma vistosa árvore que podia ser encontrada na floresta litorânea. Tratava-se de uma madeira avermelhada que já era muito conhecida como brasili na Europa, onde comumente era introduzida por mercadores árabes que a traziam da Ásia. Os franceses a chamavam brésil, os ingleses brazil, e os alemães brasil. Foi, portanto, a abundância do brasili, desde logo divulgada e cobiçada nos principais mercados europeus, que batizou definitivamente a nova colônia portuguesa: Brasil. Enquanto os portugueses se contentavam em se divertir com as índias e embarcar as toras de pau-brasil, a orla marítima do Brasil foi o tabuleiro de um jogo de contentes: os conquistadores se deliciavam em libertinagens com índias nuas e sensuais, se achando espertos porque ludibriavam tribos inteiras com vidrilhos baratos; os índios, de outro lado, deviam considerar que estavam enganando aqueles brancos tolos que partiam satisfeitos em levar alguns papagaios e troncos de Ibirapitanga...

Receita do bolo
15 unidades de mamão papaia maduro • 1.250 g de açúcar • 875 ml de água • 375 g de manteiga • 18 ovos • 875 g de farinha de trigo • 75 g de fermento em pó • 2 colheres de chá de sal • 440 ml de leite • 2 formas ovais de 18 cm • 2 formas ovais de 30 cm. Cortar o mamão em cubos levar ao fogo com 625 g de açúcar, acrescentar a água e cozinhar até ferver. Escorrer todo o líquido e reservar. Na batedeira, bater a manteiga com o açúcar restante até virar um creme. Acrescentar as gemas, uma a uma. Peneirar a farinha, o fermento, o sal e juntar à massa, alternando com o leite. Por último, adicionar as claras em neve, misturando delicadamente. Assar em forno preaquecido a 160 °C por 50 minutos.

Recheio
1,5 kg de geleia de cassis.

Montagem e decoração
Faça a montagem dos bolos seguindo as dicas a partir da página 86, tendo o cuidado de cortar as camadas de bolo bem finas (aproximadamente 1 cm). Prepare uma receita e meia de pasta americana e separe uma porção para as sementes de pau-brasil. Tinja a pasta de verde-folha claro, cubra os dois bolos e cole-os em uma tábua de 40 cm de diâmetro, também coberta de pasta. Faça um molde com acetato no formato da folha de pau-brasil ou utilize um cortador de folha pequeno com pontas arredondadas para recortar as folhas em massa elástica tingida de verde-escuro. Marque os veios e cole-as no bolo com cola de CMC, completando o desenho dos galhos com glacê real marrom. Modele as sementes com pasta tingida de vermelho e cole no topo do bolo.

Bolo São João

BOLO DE FUBÁ COM AMENDOIM

A FOGUEIRA DE SÃO JOÃO

A tradição ibérica trouxe para a terra brasileira o ritual da fogueira e do foguetório que festeja o Dia de São João, a 24 de junho. Conta-se que os padres jesuítas foram os primeiros no Brasil a acender fogueiras e tochas para festejar o São João. A comemoração coincide com o solstício de verão na Europa e certamente vem de eras antiquíssimas. Desde a época colonial aos tempos atuais, as comunidades espalhadas por todo o território nacional costumam comemorar religiosamente a Véspera e o Dia de São João Batista, o profeta que era filho de Isabel, prima de Maria, a mãe de Jesus, o mesmo profeta que batizou Jesus nas águas do Jordão. Acompanhando as rezas e o louvor a São João, os brasileiros de todos os cantos, nas cidades e no interior do país, costumam festejar com muita alegria a data desse santo e dos outros no mês de junho: Santo Antonio e São Pedro. É a época das tradicionais festas juninas, das fogueiras e bandeirolas coloridas, dos foguetes e das danças, dos comes e bebes, das prendas, simpatias e adivinhações. Um dos pontos altos dessa festança é o casamento caipira, sucedido pela descontraída quadrilha. Essa dança de pares, que era praticada pelos franceses e teria suas origens na contradança inglesa, só chegou ao Brasil com a vinda da Corte portuguesa em 1808, sendo disseminada a partir do Rio de Janeiro. A festa de São João é um evento que encanta os adultos, distrai as crianças e emociona os idosos. A novena, o levantamento do mastro com a imagem do santo, a fogueira e os rojões, os pedidos, louvores e agradecimentos, a dança de quadrilha, a comilança, tudo faz parte da festa que alimenta a fé católica e enriquece a cultura brasileira.

Receita do bolo

15 ovos • 1,2 kg de açúcar • 500 ml de óleo • 600 g de farinha de trigo • 900 g de fubá • 1,2 litro de iogurte integral (6 copos) • 570 g de amendoim torrado e moído (sem pele) • 60 g de fermento em pó • 3 formas redondas com 20 cm de diâmetro (6,5 cm altura) • 3 formas redondas com 10 cm de diâmetro (5 cm altura). Bater as claras em neve com metade do açúcar, reservar. Bater as gemas, o restante do açúcar, adicionar o óleo. Misturar a farinha e o fubá e agregar à massa aos poucos, alternado com o iogurte. Acrescentar o amendoim, o fermento e por último as claras em neve, mexendo delicadamente. Assar na forma untada com manteiga e farinha, a 180 °C por 45 minutos.

Receita do recheio

1.580 g de leite condensado (4 latas) • 200 ml de creme de leite • 300 g de amendoim torrado e moído sem pele. Juntar em uma panela todos os ingredientes, levar ao fogo baixo e deixar apurar até desgrudar do fundo da panela, mexendo sempre.

Montagem e decoração

Monte os bolos seguindo as dicas a partir da página 86. Prepare uma receita e meia de pasta americana. Se estiver usando pasta industrializada, siga as orientações de rendimento do fabricante Cubra-os com pasta americana azul-escuro. Transfira os bolos para uma tábua de 30 cm de diâmetro forrada com pasta azul. Modele o casal caipira, cole no topo do bolo menor. Faça as bandeirinhas abrindo a pasta americana bem fina e recorte-as com a ajuda de um bisturi ou cortador apropriado. Cole nas laterais do bolo com cola de CMC. Usando a técnica dos bolos de andares, monte o bolo. Faça o acabamento com um rolinho fino e comprido de pasta americana colado com cola de CMC.

** Se quiser preparar esta receita como um bolo de chá da tarde, divida-a por três.*

Bolo Rendeira

BOLO DE TAPIOCA COM COCO

OLÊ, MULHER RENDEIRA

Foram as mulheres lusitanas, do continente e das ilhas, que ensinaram as brasileiras a fazer renda. De bilro ou de agulha, a renda é portuguesa. Mas no Brasil, especialmente no Nordeste, as mãos habilidosas das nossas mulheres deram aos rendados uma certa graça, tornando-os mais encantadores ainda. Os simples fios de linha que se entrelaçam criam formas decorativas e dão acabamento aos trajes, enfeitam os lenços e lençóis, enriquecem as toalhas. A renda de bilro tem essa designação por conta dos bilros, que são penduricalhos de madeira, onde se enrolam as linhas. Numa grande almofada, a rendeira espeta as agulhas marcando o desenho escolhido e vai alternando a posição dos bilros, fazendo os nós com uma destreza impressionante. Geralmente, nas almofadas de renda se penduram 32 bilros, mas existem também artesãs que trabalham com 64 bilros! Para trançar a renda de agulha, também chamada de renascença, usa-se predominantemente uma linha branca, recorrendo-se a uma fita suporte, o lacê. A renda de agulha costuma ser engomada para ficar mais rígida. A mulher rendeira tem o hábito de batizar os tipos de renda de acordo com o lugar onde moram ou conforme o desenho adotado, tais como folhagem, torre, vassourinha, ponto sol e ponto lua.

Receita do bolo

900 g de tapioca granulada • 600 ml de leite de coco • 160 g de coco ralado • 200 g de manteiga • 500 g de açúcar • 6 ovos • 30 g de fermento em pó • 1 forma redonda com 20 cm de diâmetro (10 cm de altura). Misturar a tapioca com o leite de coco e o coco ralado. Deixar descansando por 30 minutos. Na batedeira, bater a manteiga com metade do açúcar, acrescentar às gemas, a tapioca hidratada. Bater as claras em neve com o restante do açúcar e incorporar à massa, mexendo delicadamente. Agregar o fermento, misturar bem. Assar na forma untada (cheia, 3/4), a 160 °C por 50 minutos.

Montagem e decoração

Espere que o bolo esfrie completamente e recorte o topo para que a superfície do bolo fique bem regular. Coloque-o em uma base, colando com glacê real. Prepare uma receita de pasta americana. Se estiver usando pasta industrializada, siga as orientações de rendimento do fabricante. Passe mais glacê no bolo e cubra-o com pasta branca. Coloque o bolo em uma base de 30 cm de diâmetro, forrada com pasta americana branca. Faça um desenho inspirado nas rendas de bilros, em um pedaço de papel de seda. Transfira para o bolo com a pasta ainda úmida, usando um boleador bem pequeno com ponta. Com o bico perlê, faça os contornos do desenho. Preencha o desenho central com glacê fluído. Faça o acabamento na base do bolo, também com glacê real.

Minibolo Bossa Nova

BOLO DE DOCE DE LEITE

O SAMBA DE BOSSA NOVA

Os nossos musicólogos mais prestigiados não hesitam em afirmar que a bossa nova – uma variação sambista que surgiu durante a década de 50 do século passado – teve uma forte influência do jazz norte-americano. Até mesmo o celebrado Tom Jobim, compositor e músico de formação que foi um dos maiores expoentes da bossa nova, definiu esse estilo como "o encontro do samba brasileiro com o jazz moderno". De fato, a musicalidade do pós-guerra americano ecoou com certa facilidade entre as camadas urbanas do Brasil, principalmente no âmbito da zona sul do Rio de Janeiro, onde músicos como Johnny Alf e João Donato ensaiavam claras inovações do samba canção, e os cantores Dick Farney e Lúcio Alves passavam a encantar o público com melodias levemente jazzísticas.

"Bossa" queria dizer jeito, maneirismo, e o samba mais suave e intimista composto por jovens da elite carioca logo foi apelidado de bossa nova, tanto para diferenciá-lo do samba tradicional quanto para marcar aquela fase de otimismo que o Brasil inaugurava: os anos JK, uma era desenvolvimentista empreendida pelo presidente Juscelino Kubitschek. Foi assim que a batida mais lenta e sincopada do samba de bossa nova passou a ressoar com frequência no apartamento de Nara Leão em Copacabana, onde se encontravam jovens como Roberto Menescal e Carlos Lyra, assim como nos bares do Beco das Garrafas, onde se viam jovens como Ronaldo Bôscoli e João Gilberto. Este último era um baiano de Juazeiro que, chegando no Rio de Janeiro, logo revelou a sua genialidade, lançando em 1958 o disco com a música "Chega de Saudade", da autoria de Tom Jobim e Vinícius de Moraes.

Receita do bolo

200 g de manteiga • 500 g de doce de leite • 10 gemas • 100 g de farinha de trigo • 5 claras • 3 formas redondas de 9 cm de diâmetro. Derreter a manteiga e acrescentar o doce de leite. Adicionar as gemas peneiradas e depois a farinha de trigo peneirada. Juntar as claras em neve. Assar nas formas untadas e enfarinhadas em forno preaquecido a 160 °C por cerca de 40 minutos.

Montagem e Decoração

Seguindo as dicas a partir da página 86, prepare a pastilhagem. Abra pequenas porções e recorte as bases para os bolinhos. Deixe secar por pelo menos 24 horas. Prepare meia receita de pasta americana e tinja-a de verde. Passe glacê na lateral dos bolos e cubra-os com a pasta. Cole-os nas bases e faça a clave de sol e o acabamento com glacê real amarelo.

Em geral, as melodias da bossa nova eram agradáveis aos ouvidos e fáceis de cantar, abordando temas sentimentais e contemplativos, falando do amor e da flor; e parece que o público não se importava muito com aquelas músicas apropriadas para embalar "o barquinho a navegar" ou para admirar "a garota que vem e que passa". Contudo, em poucos anos surgiu uma cisão no grupo de músicos que faziam a bossa nova, ocasião em que gente como Marcos Valle, Dori Caymmi e Edu Lobo sugeriu uma reaproximação com a música brasileira mais autêntica e popular. Foi então que ícones do estilo, como Nara Leão e Carlos Lyra, aproximaram-se de compositores populares do morro, como Cartola e Nelson Cavaquinho. Quando, em 1966, Vinícius de Moraes e Baden Powell lançaram o disco "Os Afro-Sambas", a bossa nova passou a ser apenas mais um capítulo da trajetória musical brasileira.

Bolo Santos Dumont

BOLO DE PISTACHE COM RECHEIO DE CHOCOLATE

O PIONEIRO DA AVIAÇÃO

Em princípios do século 20, o brasileiro Santos Dumont era um dos homens mais famosos do mundo, uma verdadeira celebridade que residia em Paris e conseguia, com seus balões, dar a volta na Torre Eiffel. Depois, conseguiu voar com aparelhos mais pesados que o ar, os primeiros aviões chamados 14-bis, Oiseau de Proie e Demoiselle. Apesar de sua pequena estatura e evidente timidez, Alberto Santos Dumont era um herói, um aeronauta, um homem que desafiava a velocidade e as alturas, um brasileiro admirado e festejado. Nascido em família abastada, Santos Dumont teve oportunidade de dedicar todo seu tempo às suas criações e experiências mecânicas. Inspirado na ficção de Júlio Verne, ele foi morar em Paris ainda jovem, onde começou a participar do grupo de balonistas que desenvolvia técnicas de locomoção no ar com balões de hidrogênio. Contratando mecânicos e mantendo sua própria oficina, Santos Dumont passou a construir seus próprios aeroplanos motorizados e ocupa um lugar seguro e reconhecido entre os pioneiros da aviação mundial. No dia 23 de outubro de 1906, Dumont decolou seu avião sem auxílio de rampa ou catapulta, voando numa pequena altura de dois metros por uma distância de 60 metros à vista de centenas de parisienses. Para os brasileiros, Alberto Santos Dumont será sempre o Pai da Aviação!

Receita do bolo

240 g de farinha • 240 g de pistache moído • 400 g de açúcar • 400 g de manteiga • 8 ovos • 2 formas redondas com 20 cm de diâmetro. Peneirar a farinha e o pistache moído, reservar. Numa batedeira, bater o açúcar e a manteiga até formar um creme. Adicionar os ovos um a um. Agregar a farinha com pistache aos poucos. Assar em forno preaquecido a 150 °C, por mais ou menos 45 minutos, na forma untada com manteiga e enfarinhada.

Receita do recheio

375 g de creme de leite (Caixinha ou lata com soro) • 300 g de chocolate meio amargo • Aqueça o creme de leite até quase ferver e junte o chocolate picado. Mexa até ficar homogêneo.

Montagem e decoração

Faça a montagem seguindo as dicas a partir da página 86. Faça o avião usando papel de arroz e glacê real. Prepare uma receita de pasta americana e cubra o bolo com pasta tingida de azul. Modele o bonequinho e as nuvens em pasta americana. Cole no bolo com cola de CMC. Coloque o bolo em uma base de 30 cm de diâmetro forrada com pasta americana.

Bolo Baiana

BOLO DE TAPIOCA COM RECHEIO DE GRAVIOLA

O QUE É QUE A BAIANA TEM ?

Pé de moleque, cocada, goiabada, quindim: somente os nomes desses doces feitos nas casas-grandes das primeiras fazendas já sugerem a presença de mãos negras. A partir dessa mudança, não apenas a doçaria, mas toda a culinária brasileira ganharia novos ingredientes e sabores, com as cozinhas dos engenhos sendo literalmente dominadas por negras africanas habilidosas, quituteiras e criativas. As poucas mãos brancas femininas passaram praticamente todo trabalho culinário às muitas negras trazidas da costa da África. É que, ao lado dos homens escravos destinados às tarefas mais árduas da lavoura e da moenda, comprava-se também um número considerável de escravas mulheres, sendo que algumas delas eram selecionadas para o trabalho doméstico. Muito além do trabalho, as negras geraram vidas, descendentes brasileiríssimos e tão exuberantes que chegam a simbolizar o próprio Brasil. Esse é o caso da baiana, da nossa baiana, tão cantada e decantada. Ela reina em São Salvador, na Bahia de Todos os Santos, mas sua soberania abrange todo o país e sua fama se espalha pelo mundo afora. Capaz de sintetizar a mulher brasileira, a baiana é o ícone de sensualidade, o modelo de simpatia, um símbolo da beleza. A baiana é única, mas se desdobra em muitas: temos a baiana jovem e sedutora, a baiana mãe e protetora, a baiana quituteira, a baiana do acarajé, a baiana do tabuleiro. Verdadeira glória da cultura nacional, ninguém resiste a seu modo de andar; todos atentam para os seus panos alvos e finos, seus xales coloridos por cima das saias de baixo. Desfilando, apregoando ou simplesmente passeando pelas calçadas, a baiana agita os seus balangandãs, rebrilha suas pulseiras e brincos de argola, balança os colares de búzios e miçangas, anunciando a sua nobreza. E para coroar, sua imponente figura traz à cabeça, emoldurando a expressão do rosto, o imenso turbante oriental, armado em dobras plásticas e misteriosas. A baiana é exótica e endógena: a baiana é brasileira!

Receita do bolo

490 g de tapioca granulada • 100 ml de leite • 300 ml de leite de coco • 160 g de manteiga • 60 g de açúcar • 8 ovos • 320 g de farinha de trigo • 250 g de coco ralado • 30 g de fermento • 2 formas redondas com 20 cm de diâmetro. Bater a tapioca no liquidificador, colocar em uma tigela e umedecer com o leite e o leite de coco (descansar por 30 minutos). Em uma batedeira, bater a manteiga com o açúcar e juntar os ovos, um a um. Colocar a tapioca, a farinha de trigo, o coco, o fermento e bater até formar uma massa homogênea. Despejar nas formas untadas com manteiga e enfarinhadas. Assar em forno preaquecido a 180 °C por 45 minutos.

Receita do recheio

900 g de polpa de graviola • 700 g de açúcar. Juntar a polpa e o açúcar em uma panela, levar ao fogo baixo e deixar reduzir por mais ou menos 1 hora em fogo médio, mexendo sempre.

Montagem e decoração

Monte o bolo seguindo as dicas a partir da página 86. Deixe na geladeira para que fique bem firme, pois será esculpido. Esse bolo foi inspirado na técnica de Debbie Brown e a saia é recortada diretamente no bolo. Corte o topo do bolo em 4 partes, como se desenhasse um "x" e depois corte cada segmento no meio. Recorte os excessos de massa até obter o formato desejado, formando "cunhas" no topo do bolo, que darão movimento à saia. Faça uma receita de pasta americana. Se estiver usando pasta industrializada, siga as orientações de rendimento do fabricante. Cubra com pasta americana branca, coloque em uma base redonda de 30 cm de diâmetro também forrada com pasta branca. Cubra novamente o topo do bolo com um círculo de 21 cm de diâmetro de pasta americana branca, marcado com um rolo de texturas para imitar renda. Modele o corpo e cabeça da baiana (com pasta americana marrom escura) e prenda no centro do bolo com um palito de churrasco. Com a massa elástica amarela e branca e o cortador de babados, faça os detalhes da saia e vestido.

Bolo Aquarela do Brasil

BOLO DE CENOURA COM CHOCOLATE

OS TONS DA BRASILIDADE

O Brasil já nasceu colorido, tamanha a exuberância da nossa vegetação tropical e a variedade das aves, condições naturais que propiciaram as colorações que os índios utilizaram para sua roupagem de guerra ou para seus enfeites de celebração. Pouco mais tarde, as tribos africanas também contribuíram para pintar a vida brasileira, através dos escravos que foram introduzidos nas plantações de cana e de café. De modo que a luz e a aquarela que cobrem o território brasileiro são preponderantemente tropicais, alegres e sensuais, inspirando a generosidade e a cordialidade. Nosso país se veste de muitas tonalidades, não somente pelo espectro das cores, mas também por sua diversidade cultural e pelos contrastes regionais, variações dinâmicas e atraentes tão poderosas que são capazes de distinguir nossa identidade. Entretanto, para espanto dos estrangeiros, tanta variedade de raças e costumes não impediram a conquista do equilíbrio e a formação da nacionalidade. Há muito tempo que o Brasil já é brasileiro, assim como diz um verso da música Aquarela do Brasil:

Ô, ôi essas fontes murmurantes
Ôi onde eu mato a minha sede
E onde a lua vem brincá
Ôi, esse Brasil lindo e trigueiro
É o meu Brasil brasileiro
Terra de samba e pandeiro
Brasil! Brasil!
Prá mim... prá mim...

Receita do bolo

6 cenouras grandes • 600 g de açúcar • 400 ml de óleo • 920 g de farinha de trigo • 6 ovos • 40 g de fermento em pó • 2 formas redondas de 25 cm de diâmetro. Ralar 100 g de cenoura e reservar. Bater no liquidificador o restante da cenoura, o açúcar e o óleo. Colocar a mistura em uma tigela grande, acrescentar a farinha peneirada, a cenoura ralada e os ovos. Adicionar o fermento em pó e misturar até a massa ficar homogênea. Assar por cerca de 45 minutos em forno preaquecido a 180 °C nas formas untadas e enfarinhadas.

Receita do recheio

1 kg de chocolate meio amargo • 400 ml de creme de leite fresco. Colocar os ingredientes em uma panela e levar ao fogo baixo até derreter o chocolate.

Montagem e decoração

Cortar os bolos em camadas de 1 cm (descartar a parte de cima). Seguir as instruções das dicas a partir da página 86. Modele o pincel com pelo menos um dia de antecedência. Faça um rolinho mais fino em uma das extremidades utilizando massa elástica. As cerdas do pincel são feitas com uma pequena porção de massa elástica achatada e recortada com estilete. Deixe secar e pinte com corantes comestíveis. Depois de montado, o bolo deverá ser esculpido no formato de um godê de pintura. Faça o desenho do godê em um papel ou cartolina, coloque sobre o bolo e recorte as laterais com uma faca de serra pequena. Cave um pequeno orifício no bolo para simular o suporte para o polegar. Prepare uma receita de pasta americana, tinja de amarelo e cubra o bolo. Coloque-o em uma base de 35 cm de diâmentro, forrada de pasta amarela. Recorte pequenos círculos de pasta colorida e os posicione no topo do bolo, colando com cola de CMC, como se fossem as porções de tinta. Pincele com geleia de brilho para dar o acabamento nas cores. Para finalizar, cole o pincel com glacê real e faça o acabamento na base do bolo.

DICAS
TÉCNICAS

Utensílios e equipamentos para decoração

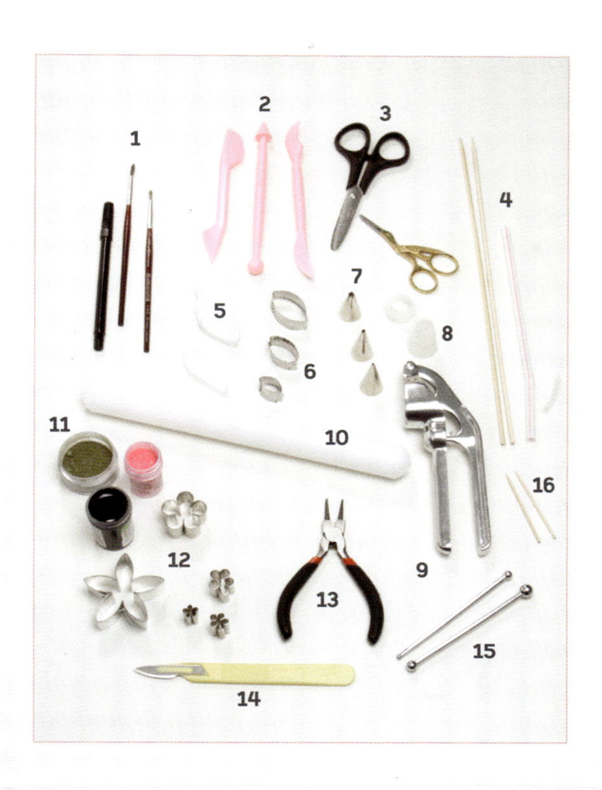

1 canetinha de corante alimentício e pincéis variados; **2** estacas; **3** tesouras; **4** canudo largo (cortado ao meio, é usado para marcar a boca dos bonequinhos); **5** texturizadores de folhas; **6** cortadores de folhas; **7** bicos variados; **8** adaptador para bicos; **9** espremedor de alho (para fazer o cabelinho dos bonecos); **10** rolinho de abrir massa pequeno; **11** corantes alimentícios em pó e em gel; **12** cortadores de flor; **13** alicate; **14** bisturi; **15** boleadores; **16** palitos (para marcar detalhes).

17 balança; **18** peneira; **19** xícaras medidoras; **20** formas; **21** papel manteiga e espátula; **22** colheres medidoras; **23** espátulas; **24** bases para bolos; **25** pá alisadora; **26** rolo de abrir massa; **27** carretilha para massa; **28** folha de acetato; **29** régua; **30** espetos de churrasco.

Como fazer a Montagem do Bolo

Passo a Passo

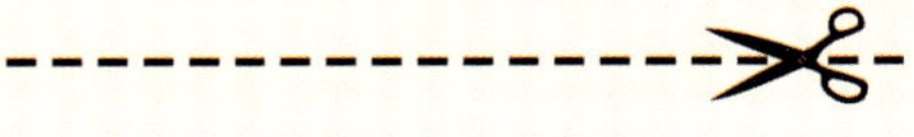

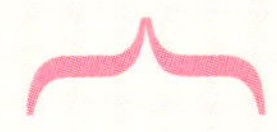

Retire as cascas da massa e corte-as em fatias horizontais finas. Monte o bolo em um aro de 10 cm de altura, ou na mesma forma em que assou o bolo. Para conseguir a altura necessária, coloque uma tira de acetato com 10 cm de altura por dentro da forma. Forre a forma com um plástico. Alterne camadas de massa e recheio, umidecendo as camadas de massa com a calda básica até completar a altura da forma. Feche as bordas de plástico e leve a geladeira por algumas horas, para que o bolo fique firme. Antes de cobrir, retire da geladeira e aguarde até que o bolo chegue a temperatura ambiente.

Bolos decorados: como assar e rechear

{ Técnicas para acabamento

Antes de se pensar na decoração de um bolo, é muito importante tomar alguns cuidados, para que o trabalho tenha bons resultados. A decoração, por mais elaborada que seja, depende de um bolo bem assado e bem montado, com o mínimo de imperfeições.

A temperatura do forno ideal, para que seja bem assado, é de 180 °C. Em alguns casos, a receita pode pedir que a massa seja assada em baixa temperatura, o que significa algo em torno de 150 °C. O método mais eficiente para testar o cozimento do bolo é o que consiste em espetar um palito no meio do bolo e verificar se ele saiu limpo. Funciona para a maioria das receitas, exceto para Brownies, que em geral devem ser retirados do forno ainda cremosos.

A forma escolhida para assar o bolo deve ser preenchida somente até a metade de sua capacidade, o que garante espaço suficiente para a massa se desenvolver sem perder a qualidade. O material ideal é o alumínio, pois proporciona boa condução de calor, sem que a mesma seja excessiva. Não recomendo formas de vidro. Sempre unte as formas com óleo ou manteiga e depois polvilhe com farinha de trigo. No caso de formas fundas de fundo fixo, recomenda-se forrar a assadeira com papel manteiga também untado.

Ao retirar o bolo do forno, espere pelo menos dez minutos para desenformá-los.

O bolo deve ser cortado e recheado de forma que se mantenha simétrico e o recheio seja firme o suficiente para não escorrer. Lembre-se que depois de decorado, o bolo ficará fora da geladeira. Também por esse motivo, não use frutas frescas, chantilly ou cremes que necessitem de refrigeração.

Preste especial atenção aos recheios com cremes delicados, com ovos, leite e farinha. Nesses casos, os bolos devem ser feitos no máximo na véspera em que serão consumidos. No momento da montagem, prefira cortar o bolo em várias camadas de massa e alternar camadas finas de massa e recheio, de modo que o bolo fique úmido, bem recheado e ao mesmo tempo não haja exageros que possam comprometer a decoração: excesso de recheio pode escorrer pelo bolo ou mesmo deformar as laterais, pressionando a pasta americana. As massas podem ser umedecidas com caldas de açúcar, desde que isso não seja feito com exagero: um bolo úmido demais deforma ao ser decorado e corre-se o risco da calda escorrer na base dos bolos.

Depois de montado dentro da forma (conforme passo a passo), guarde o bolo na geladeira por pelo menos 6 horas. Assim, o bolo terá tempo de incorporar o recheio, que se tornará mais firme e mais bem distribuído pelas camadas de massa e esta ficará mais úmida. O formato do bolo recheado também se tornará mais regular. Para cobrir o bolo com pasta americana, acompanhe o passo a passo.

Calda Básica

Usada para molhar as camadas de massa durante a montagem do bolo

Receita

2 xícaras de água
1 xícara de açúcar

Como fazer

Leve os ingredientes ao fogo até ferver. Espere esfriar e utilize.

Bolos com 10 cm de altura

Formas Redondas

15 cm de diâmetro -------------------10 fatias
20 cm de diâmetro -------------- 20/25 fatias
25 cm de diâmetro ------------------- 35 fatias
30 cm de diâmetro ------------------- 50 fatias
35 cm de diâmetro -------------- 70/80 fatias
40 cm de diâmetro ----------------- 100 fatias
45 cm de diâmetro -----------------125 fatias

Formas Quadradas

15 cm de lado --------------------------15 fatias
20 cm de lado --------------------------25 fatias
25 cm de lado --------------------------45 fatias
30 cm de lado --------------------------70 fatias
35 cm de lado -----------------------100 fatias
40 cm de lado -----------------------125 fatias

Como fazer Pasta Americana

Passo a Passo

Polvilhe a gelatina na água e espere hidratar. Leve ao fogo em banho-maria. Espere a gelatina derreter, acrescente a gordura vegetal e a glucose. Mexa até que tudo derreta. Retire do banho-maria. Peneire metade do açucar impalpável em uma tigela. Acrescente a mistura de gelatina e gordura e mexa bem. Neste ponto, (Massa Mãe) a pasta poderá ser guardada na geladeira em potes bem fechados. Continue a acrescentar açúcar, passe a massa para uma bancada e continue sovando. A pasta deve ficar homogênea e não grudar muito nas mãos nem na bancada, mas ainda estar macia. Tingimento: usando corante em gel, acrescente pequenas quantidades até obter a cor desejada. Sove até obter uma cor homogênea.

Pasta Americana

Há um grande número de receitas de pasta americana disponíveis. Em geral, são bastante parecidas. Algumas, especialmente de origem norte americana, recomendam o uso de glicerina.

Esse ingrediente deve ser adquirido em lojas de produtos para confeitaria, mas em geral, não é necessário utilizá-lo no Brasil. A glicerina é especialmente recomendada para climas secos, para evitar que a pasta rache e mantê-la macia até o momento de ser consumida.

Atualmente, encontram-se várias opções de pasta americana industrializada no mercado.

Receita

125 ml de água
20 g de gelatina em pó sem sabor
100 g de glucose
50 g de gordura vegetal
1 quilo de açúcar impalpável
Açúcar impalpável para sovar (aproximadamente mais 300 g)

Como fazer

Polvilhe a gelatina sobre um recipiente refratário com a água e espere hidratar. Leve ao banho-maria, até que se dissolva e fique transparente.

Junte a gordura e a glucose e mexa, ainda em banho-maria. Cuidado para a mistura não aquecer demais. Retire do fogo, espere amornar, e despeje sobre aproximadamente 800 g de açúcar impalpável peneirado em uma tigela.

Mexa bem, e, aos poucos, junte o açúcar restante até obter o ponto desejado. Quando estiver mais firme, separe uma superfície e sove até ficar bastante elástica. Mantenha sempre bem fechada em saco plástico.

A quantidade de açúcar impalpável varia de acordo com a umidade ambiente. Em dias úmidos, pode-se precisar de mais açúcar que em dias mais secos.

{ No lugar da Pasta Americana...

Pasta de Coco

Pensando em quem busca ingredientes mais naturais, desenvolvemos uma receita que permite um toque decorativo simples aos mais diversos tipos de doces. Ela não tem a mesma elasticidade da pasta americana e por esse motivo não é indicada para cobrir bolos ou modelagens elaboradas. É ótima para cobrir o topo de cupcakes, minibolos e para confecção de figuras simples utilizando cortadores e moldes de silicone. Tem um delicioso aroma natural de coco e também não deve ser armazenada, pois se torna muito quebradiça.

Receita

4 g de ágar-ágar
85 ml de água
50 g de mel
45 g de óleo extra virgem de coco
Açúcar impalpável até dar o ponto (aproximadamente 800 g)

Como fazer

Leve o ágar-ágar com a água ao fogo até levantar fervura. Retire do fogo e acrescente o mel e o óleo de coco. Misture bem até que fique homogêneo. Acrescente o açúcar impalpável aos poucos e sove até que forme uma massa que solte das mãos, mas ainda esteja úmida. Cuidado para não colocar açúcar em excesso, pois tornará a pasta mais quebradiça.

ou

Pasta de Mel

Semelhante à pasta americana, pode ser usada para cobrir bolos, embora seja um pouco mais seca, não sendo indicada para locais de clima muito seco. Não deve ser armazenada.

Receita

10 g de gelatina em pó incolor sem sabor
75 ml de água
35 g de gordura vegetal
60 g de mel
Açúcar impalpável até dar o ponto (aproximadamente 800 g)

Como fazer

Hidrate a gelatina na água e leve em banho-maria para derreter. Adicione a gordura, o mel e mexa até que tudo derreta. Espere amornar e acrescente açúcar aos poucos, até obter o ponto (igual ao da pasta americana).

Como fazer Glacê Real

Passo a Passo

Coloque na batedeira a clara e o açúcar impalpável. Começe a bater, acrescente o suco de limão e aumente a velocidade da batedeira. Caso esteja usando o pó para o preparo de glacê Real, coloque-o na batedeira junto com a água, segundo as instruções da embalagem. Bata o glacê por 10 minutos, até que ele perca o brilho, e ao levantar as pás da batedeira, formem-se picos firmes.

{ Glacê Real

O glacê real é utilizado para fazer vários tipos dedecoração. Após algumas horas, ele seca e fica bastante firme e quebradiço. Por esse motivo, não é utilizado para revestir totalmente o bolo, salvo em alguns casos. É muito eficiente como cola, principalmente de peças grandes. Peças feitas em glacê como flores, folhas, guirlandas e até mesmo bichinhos (técnica de pressão), uma vez secos, podem ser guardados (protegidos da umidade) por meses. O mais importante na confecção do glacê é o ponto em que deve ser batido. Cada tipo de decoração pode demandar um ponto, mais firme ou mais suave, mas em geral, o glacê é batido por dez minutos, até perder o brilho e manter o formato. Deve ser sempre coberto com um pano úmido ou em potes hermeticamente fechados. Sempre que for usado, deve ser batido novamente. O glacê pode ser guardado na geladeira (por poucos dias) e reutilizado, mas esse procedimento não é muito recomendável, caso o objetivo seja fazer peças muito delicadas de decoração.

Receita

1 clara de ovo
250 g de açúcar impalpável
1 colher de café de suco de limão

Como fazer

Comece a bater a clara, adicione o açúcar e depois o suco de limão. Aumente a velocidade da batedeira e bata até ficar no ponto. O glacê real pode ser batido à mão. Caso use a batedeira, o batedor ideal é o de leque.

{ Utilizando o saco de confeitar

A recomendação mais importante se refere à quantidade de glacê. Quando um livro recomenda que você encha o saco com glacê, na verdade, está dizendo para completá-lo até 1/3 de seu volume.

Isso proporciona muito mais controle nos movimentos e a decoração sai perfeita. Uma das mãos "abraça" o saco de confeitar e a outra pode ser usada como apoio.

Destros em geral decoram da esquerda para a direita, e canhotos, salvo quando estiverem escrevendo, da direita para a esquerda. É muito importante prestar atenção à consistência do glacê e à posição do saco.

BICOS BÁSICOS

- **Pitanga**
Faz estrelas, rosetas e bordas em conchas.
- **Flor (ou flor drops)**
Para fazer pequenas flores de glacê para decorações rápidas.

Pétala
Faz as pétalas da rosa de glacê, além de uma variedade de flores.
Também usado para acabamentos na forma de babados e plissados.

- **Perlê**
Para bordas em pérola e gota, além da borda em concha. Muito usado para escrever e desenhar.

Folha
Usado para folhas de glacê e também acabamentos em ondas.

Serra
Faz o trançado que imita uma cesta de vime.

Chuveirinho
Usado para imitar grama e pelos de ursinhos e cachorros.

O material do saco deve ser lavável e bem flexível. Há também os sacos descartáveis. Aconselha-se adquirir um conjunto de saco e bicos que contenha um adaptador, peça rosqueável que serve para encaixar o bico no saco de confeitar.

Sacos feitos com plástico muito grosso são mais indicados para uso em padarias, ou quando seja necessário um material que resista às massas de carolina ou de biscoito.

A posição do bico varia e a consistência do glacê também, de acordo com o tipo de decoração que se queira fazer. Entretanto, é sempre importante parar de fazer pressão no saco de confeitar antes de puxá-lo, o que evita que o desenho formado deforme.

Como trabalhar com o Glacê Real

Passo a Passo

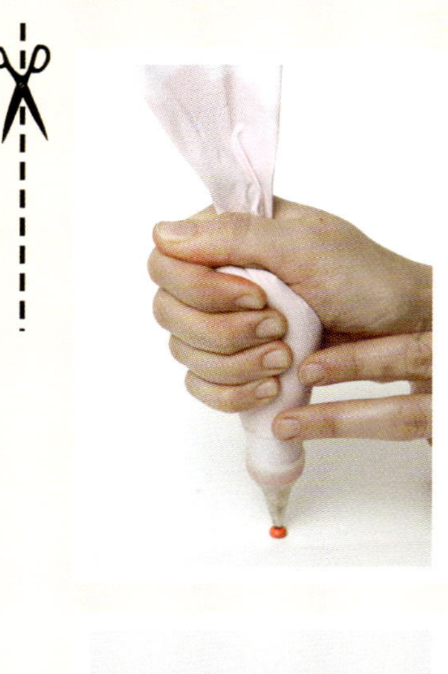
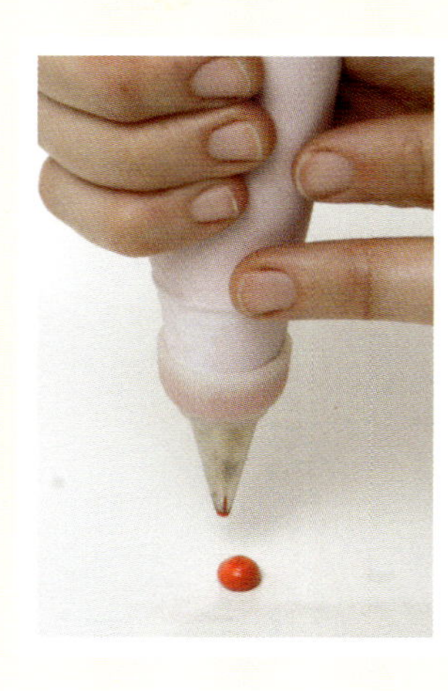

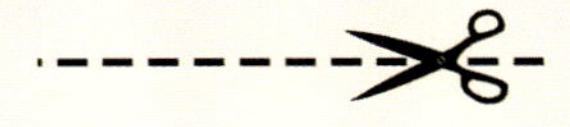

Bolinha: usando o bico perlê com o saco de confeitar a 90 graus da superfície, ou seja, na vertical, esprema até que comece a sair uma quantidade de glacê, mas não levante o saco, mantenha o bico próximo à superfície. Pare de espremer, e, com um movimento rápido, levante o bico. **Concha:** usando um bico pitanga, e começando com o saco de confeitar a aproximadamente 45 graus da superfície, aperte o glacê, ao mesmo tempo em que levanta levemente o bico. Diminua a pressão ao mesmo tempo em que aproxima o bico da superfície novamente. Pare de apertar e puxe o bico, formando assim a ponta da concha. Para fazer uma borda, repita o movimento. **Cordões:** primeiro faça uma marcação bem discreta de onde serão os pontos de início e fim. O mais importante é procurar manter uma simetria e manter o bico no ar enquanto trabalha. O bico deve encostar no bolo apenas no início e final do arco.

Como fazer Ponto Cestinha

Passo a Passo

Para fazer esse trabalho, que imita a trama de uma cesta, precisamos de um bico próprio para tal, com um lado liso e outro serrilhado. Sugerimos o bico de número 47. O glacê real deve estar muito bem batido, no ponto tradicional. Em geral, tingimos o glacê com corantes em gel até obter um tom suave de marrom. O trabalho pode ser feito diretamente na lateral do bolo, já coberto com pasta americana. Usando o bico serra, faça uma linha vertical com o lado liso do bico para cima. Usando o lado serrilhado e trabalhando de cima para baixo, trace linhas horizontais, paralelas entre si e perpendiculares à primeira. Deixe entre as linhas horizontais o espaço correspondente à largura do bico. Ao lado direito da primeira linha vertical e voltando a usar o lado liso do bico, trace uma segunda linha vertical, de modo que cubra as extremidades das linhas horizontais. Nos espaços restantes, complete com as linhas horizontais, usando a face serrilhada do bico. Continue até preencher toda a área desejada.

Como fazer Tabuleiro

Passo a Passo

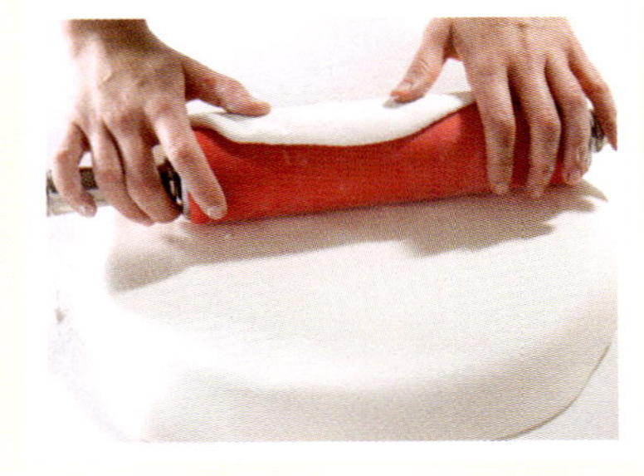

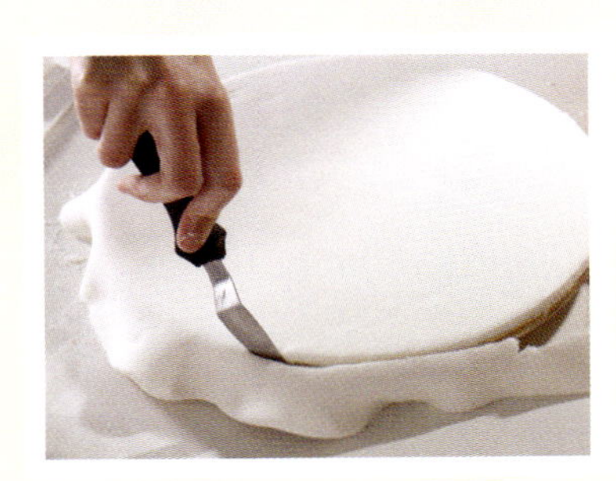

A tábua do bolo deve ser forrada. Utilize fita adesiva dupla face. Forre com papel alumínio e apare as bordas com uma tesoura. Passe uma fina camada de glace real. Cubra com a pasta americana e apare as bordas com uma espátula.

Como cobrir o bolo

Passo a Passo

Passe um pouco de glacê real em um disco de papelão forrado e coloque sobre a última camada de massa do bolo montado dentro da forma. Inverta o bolo. Retire a forma, o acetato e o plástico. Passe uma camada fina de glacê real por todo o bolo. Abra a massa, aos poucos, em uma superfície polvilhada com açúcar impalpável, até atingir um diâmetro suficiente para cobrir o bolo. Procure manter uma espessura uniforme e periodicamente levante as bordas da pasta e polvilhe mais açúcar para evitar que grude na bancada. Enrole a pasta no rolo de abrir massas. Desenrole em cima do bolo, tomando o cuidado de deixar pasta suficiente para cobrir as bordas. Ajuste a pasta sobre o bolo, sem que se formem pregas e alise as laterais com cuidado. Corte o excesso nas bordas usando um cortador de pizza ou faca. Utilize as pás alisadoras e alise a superfície do bolo. Coloque uma pequena quantidade de glacê real na tábua forrada, para colar o bolo e transfira o bolo para a tábua forrada. Para o acabamento, cole fita dupla face nas bordas da tábua. Cole a fita de sua preferência.

PASTILHAGEM

Passo a Passo

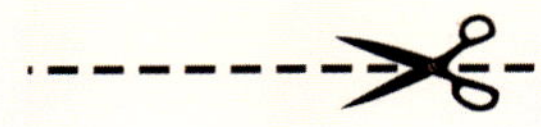

Polvilhe a gelatina sobre a água e espere hidratar. Derreta em banho-maria. Junte o açúcar aos poucos, mexendo sempre. Acrescente açúcar impalpável até que a massa fique homogênea e não grude nas mãos e nem na bancada. Trabalhe bem a massa para que sua textura fique perfeita. Tinja a gosto com corantes alimentícios (de preferência em gel) e recorte as peças. Deixe-as secando por pelo menos 12 horas, sempre em supefície polvilhada com açúcar impalpável.

A pastilhagem é uma das mais antigas receitas na decoração de bolos. Ela seca rapidamente e se torna muito resistente. É ideal para o preparo de construções e peças rígidas. Também é recomendada para construir suportes para as peças de bolo. Ao preparar a massa, é importante sovar bastante, para que adquira a textura ideal. Durante seu manuseio, deixe a massa coberta com plástico, para que não resseque. Ao cortar as peças, recomenda-se que as mesmas não sejam transportadas após o corte, para evitar que se deformem. E é muito importante aparar bem as arestas, para que o acabamento fique perfeito. Recomenda-se usar bisturi para o corte, e aguardar 12 horas para a secagem total das peças, o que garante sua resistência. Assim como as outras pastas, existem variações na receita e também pode ser facilmente encontrada pronta para uso.

Receita

7 g de gelatina em pó sem sabor
100 ml de água
250 g de açúcar impalpável
(tenha aproximadamente 1 quilo à mão para dar o ponto)

Como fazer

Dissolva a gelatina em banho-maria, até ficar transparente. Deixe amornar. Junte o açúcar aos poucos, até completar 250 g e ter o aspecto de um creme fluído. Nesse ponto, a massa poderá ser guardada na geladeira, em pote bem fechado, por algumas semanas. Quando for recortar as peças, retire uma porção da massa-mãe, espere atingir a temperatura ambiente, e comece a sovar, acrescentando mais açúcar, até obter o ponto. Amasse por 10 minutos, a fim de obter elasticidade.

Massa elástica

Passo a Passo

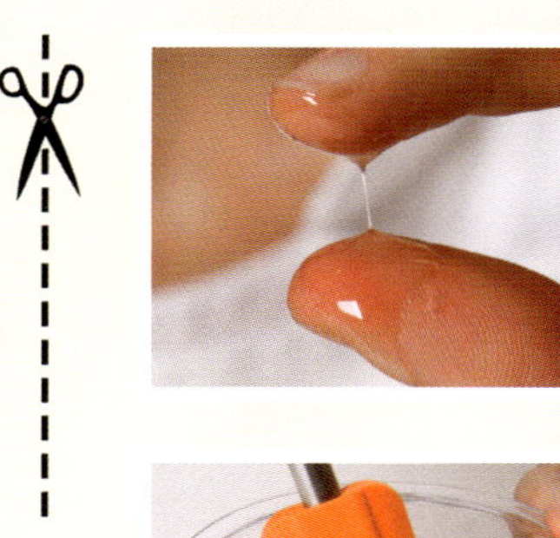

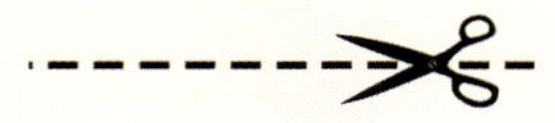

Faça uma calda em ponto de fio fraco com o açúcar comum e os 85 ml de água. Reserve e deixe que esfrie ligeiramente. Dissolva a gelatina nos 25 ml de água e derreta em banho-maria. Junte a gordura vegetal e a glucose à calda e acrescente a gelatina. Junte o açúcar impalpável previamente peneirado com o CMC e acrescente as claras. Misture tudo muito bem, coloque em um pote hermeticamente fechado. Leve à geladeira por 24 horas. Retire da geladeira 30 minutos antes do uso. Acrescente açúcar impalpável até que a massa esteja homogênea e não grude nas mãos e nem na bancada.

A massa elástica, tal como o nome já diz, possui a característica de se tornar bastante elástica, podendo ser aberta em uma espessura muito fina. É usada para fazer flores e tecidos. Caso o tempo esteja muito úmido, recomenda-se fazer uma mistura de 80% de massa elástica e 20% de pastilhagem para garantir a durabilidade das flores.

Assim como as outras massas, seca quando exposta ao ar e por esse motivo, enquanto se trabalha com a massa, esta deve estar sempre coberta com plástico. Pode ser encontrada pronta pra uso no mercado, mais firme ou mais macia, conforme seja mais indicada para flores ou imitação de tecidos.

Receita

140 g de açúcar comum
85 ml de água
7 g de gelatina em pó sem sabor
25 ml de água
75 g de gordura vegetal
60 g de glucose
300 g de açúcar impalpável
10 g de CMC
2 claras de ovo

Como fazer

Faça uma calda em ponto de fio fraco, usando os dois primeiros ingredientes. Dissolva a gelatina nos 25 ml de água. Junte a gordura e a glucose à calda, e a mistura de gelatina. Junte também o açúcar peneirado com o CMC e as claras, sem bater. Deixe essa mistura descansar na geladeira 24 horas antes de usar, a fim de se tornar elástica.
No momento de usar, retire da geladeira, espere retornar a temperatura ambiente e acrescente açúcar até obter o ponto de sovar.

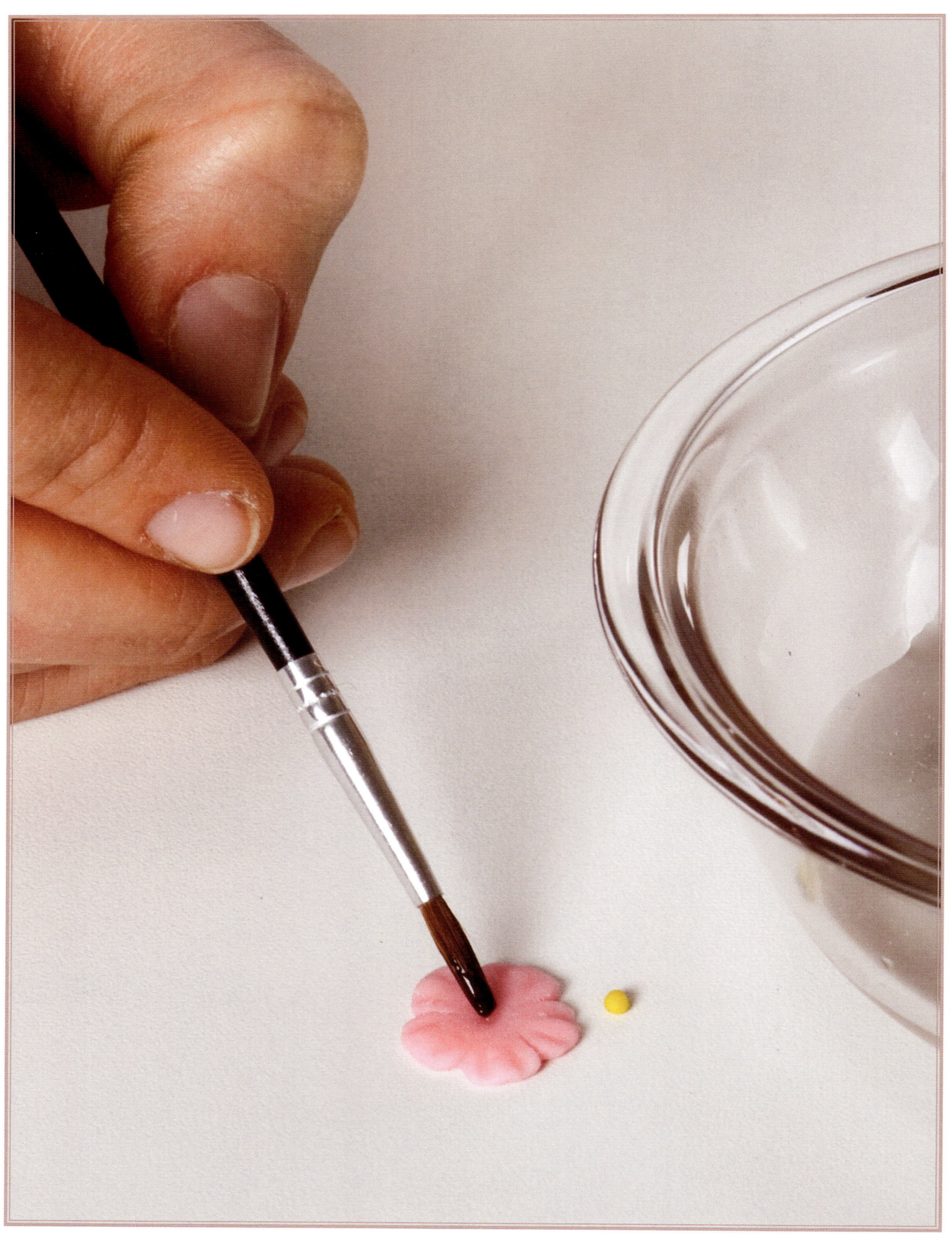

Cola de CMC

{ Passo a Passo

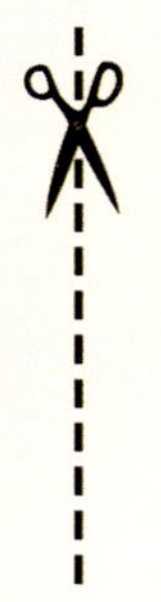

{ Coloque o CMC sobre a água e mexa um pouco. É normal que fique empelotado. Aguarde algumas horas para que a mistura fique homogênea, com consistência de clara de ovo. Guarde sempre em recipientes com tampa, na geladeira.

Esta é a cola mais utilizada na decoração de bolos. É perfeita para colar peças feitas recentemente com pasta americana e detalhes nos bonequinho. O CMC é um ingrediente muito usado na indústria alimentícia como agente espessante. É encontrado em lojas de artigos de confeitaria. Muitas vezes, para modelar bonequinhos, é recomendável acrescentar uma pitadinha de CMC à pasta para que ela fique um pouco mais firme. Essa cola deve ser guardada em geladeira, em recipiente tampado, por no máximo 1 semana.

Como fazer

1 colher de chá de CMC
250 ml de água

Polvilhe o CMC sobre a água e mexa um pouco. Aguarde algumas horas, para que a mistura fique mais homogênea.

{ Transporte

Recomenda-se esperar algumas horas depois que o bolo esteja pronto para que a pasta e o glacê sequem e estejam firmes. Leve sempre com você um kit para pequenos consertos. Algumas peças podem se soltar no caminho. No veículo, dê preferência por transportar o bolo em superfície plana, ao invés de colocar sobre os bancos, que sempre têm um desnível. Não deixe o bolo no sol ou em ambientes muito quentes. Também é recomendável proteger o bolo colocando-o em uma caixa bem firme, resguardando as laterais de qualquer acidente.

Como fazer montagem de andares

Passo a Passo

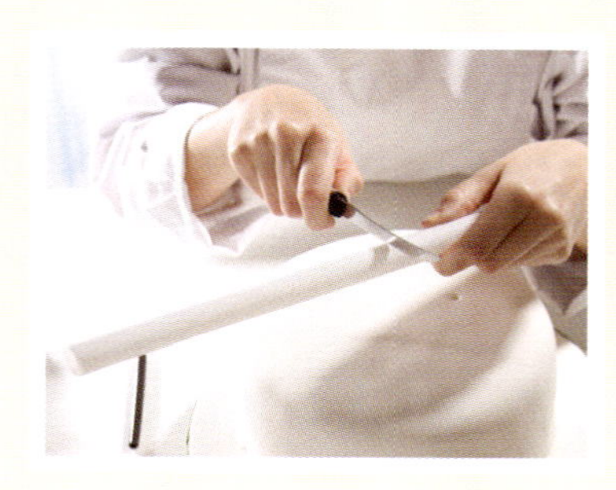

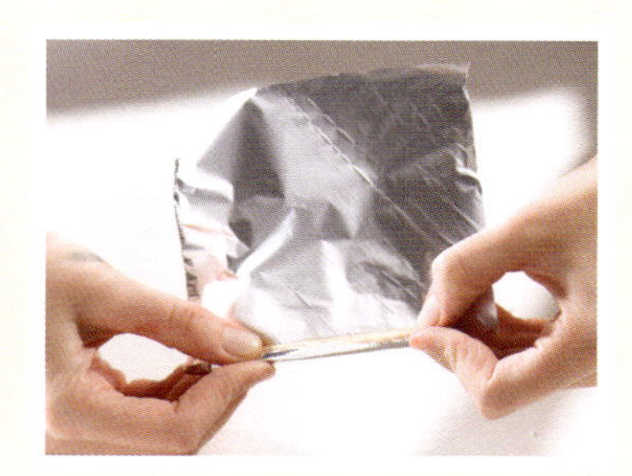

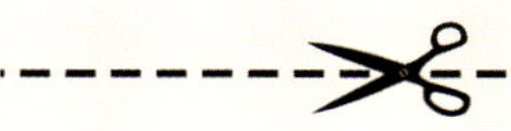

Meça a altura do bolo usando um palito de churrasco. Corte o suporte na altura do bolo. Insira-o no bolo. Caso não encontre os suportes de bolo, faça utilizando palitos de churrasco. Meça a altura do bolo da mesma forma e corte mais 3 ou 4 palitos da mesma altura. Cole-os com fita adesiva. Cubra-os com papel alumíno. Insira-os no bolo. Use pelo menos 4 suportes ou grupinhos de palitos para dar sustentação ao andar de cima.

Como fazer os bonequinhos

{ Passo a Passo

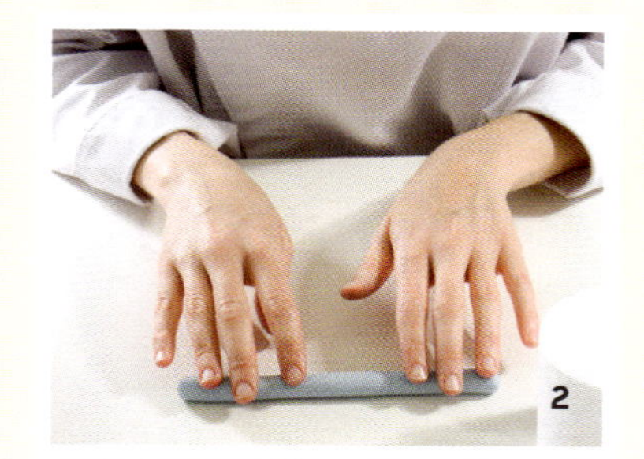

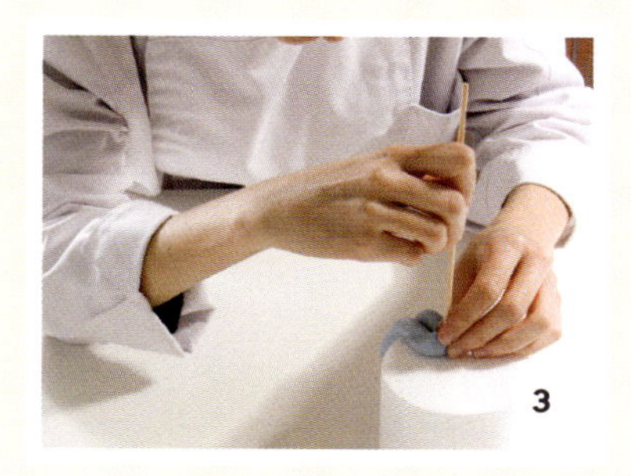

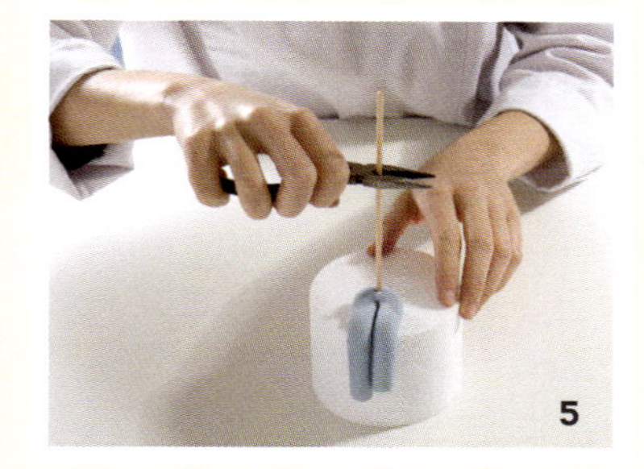

Tinja porções de pasta americana nas cores desejadas, usando corantes em gel, de preferência. Para a pasta cor da pele, misture as cores verde e laranja em pequenas quantidades. Deixe-as sempre dentro de sacos plásticos para que não ressequem. **1** Acrescente uma pitada de CMC para que a as peças fiquem mais firmes e sequem mais rapidamente. **2** Para modelar as pernas, comece com um rolinho de pasta. **3 e 4** Usando uma base de isopor (de preferência do tamanho do bolo onde será colocado o bonequinho) como apoio, dobre o rolinho e coloque como se o bonequinho estivesse sentado, apoiando-o nas bordas da base. Espete um palito de churrasco para servir de apoio para o tronco e cabeça. **5** Corte o excesso de palito. **6** Marque os detalhes da calça jeans usando um palito.

{ Passo a Passo

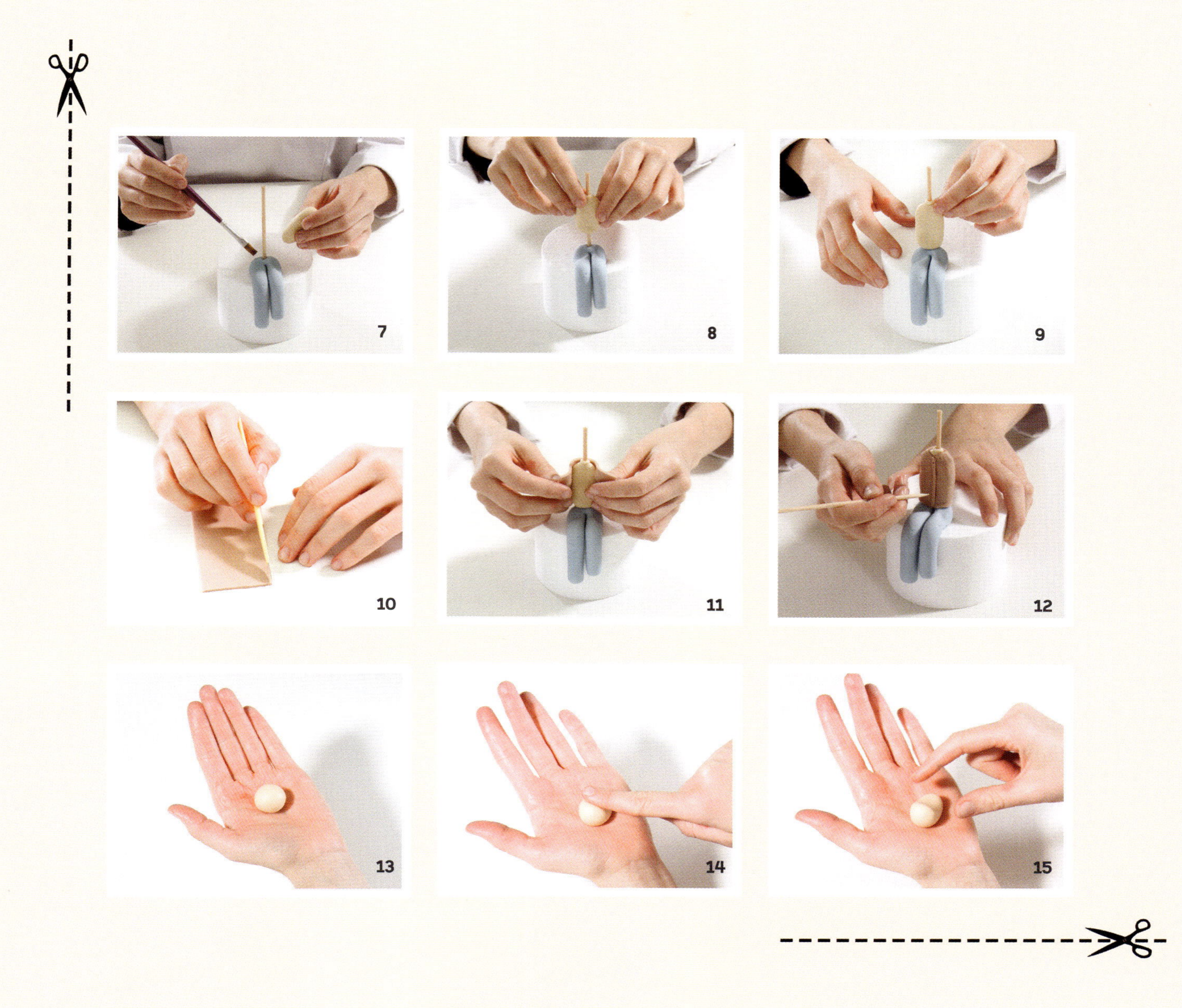

7, 8 e 9 Usando a pasta cor da pele, modele o tronco do bonequinho a partir de um cilindro mais grosso. Pincele a cintura da calça com cola de CMC e cole o tronco atravessando-o pelo palito. Para o pescoço faça uma argolinha de pasta cor da pele. **10** Faça um retângulo de pasta marrom. **11 e 12** Cole o retângulo no tronco formando a camisa. Cole também uma pequena tira de pasta e marque os botões. **13** Para modelar a cabeça, comece fazendo uma bolinha de pasta cor da pele. **14 e 15** Um pouco abaixo da metade da bolinha, faça uma marcação pressionando levemente o dedo para fazer a divisão do rosto.

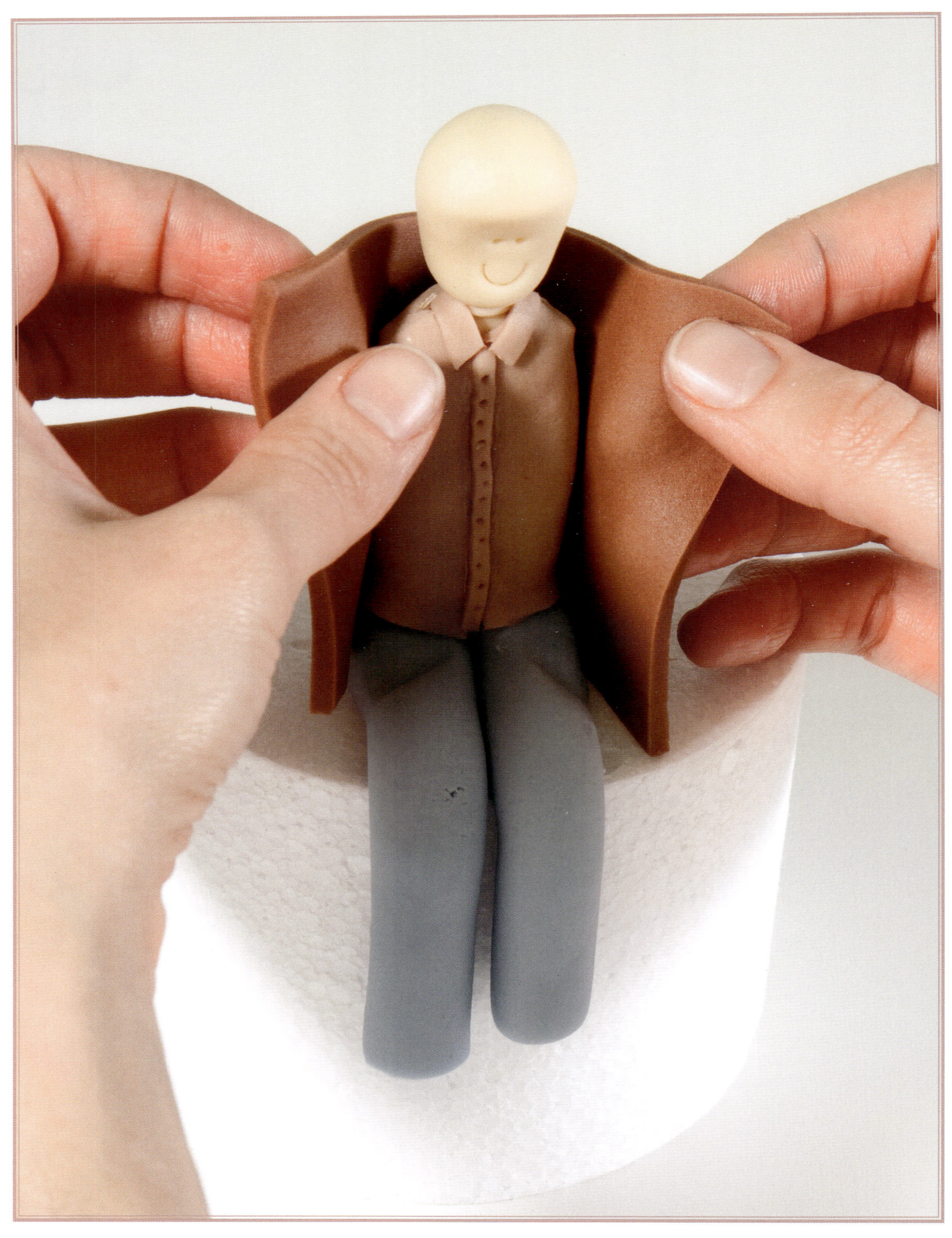

Passo a Passo

16 Caso seja necessário, ajuste a altura do palito usando um alicate e espete a cabeça no tronco. **17** Marque os dois olhinhos usando um palito e marque a boca com um canudo cortado ao meio, ou marcadores de boquinha. **18** Usando a pasta marrom escura, faça um retângulo de pasta e cole por cima da camisa, para fazer o paletó. **19** Com uma tesoura pequena, faça a gola. **20** Os braços são modelados a partir de dois rolinhos de pasta marrom escura. **21** Cole-os com cola de CMC. **22** Para as mãos, faça dois pequenos cones de pasta cor da pele. **23** Achate a parte maior do cone. **24** Usando uma tesoura de ponta fina, faça o corte do polegar.

25, 26 e 27 Corte os dedinhos e com as pontas dos dedos, acerte o formato. **28** Cole-as nos braços. **29** Para o cabelo, use um espremedor de alho. **30 e 31** Cole os fios na cabeça, usando a cola de CMC. **32 e 33** Para os sapatos, faça duas bolinhas de pasta preta, achate-as nas pontas e cole-as nas pernas. **34** Modele o chapéu a partir de um cone de pasta marrom. **35** Com a tesoura, faça os detalhes imitando palha. **36** Faça a barba com umas pinceladas de corante preto.

"Há um gosto todo especial em
fazer, preparar um pudim ou um
bolo por uma receita velha de avó.
Sentir que o doce cujo sabor
alegra o menino ou a moça de hoje
já alegrou o paladar da dindinha morta que
apenas se conhece de algum retrato
pálido mas que foi também menina, moça
e alegre. Que é um doce de pedigree, e não
um doce improvisado ou imitado dos estrangeiros.
Que tem história. Que tem passado. Que já é
profundamente nosso. Profundamente brasileiro.
Gostado, saboreado, consagrado por
várias gerações brasileiras."

{ *Açúcar*, de Gilberto Freyre. São Paulo: Global Editora, 2007, p. 73 }

Bibliografia

• CASCUDO, Luís da Câmara.
História da Alimentação no Brasil. São Paulo: Global Editora, 2004.

• FLANDRIN, Jean-Louis; MONTANARI, Massimo.
História da Alimentação. São Paulo: Estação Liberdade, 1998.

• FREEDMAN, Paul (organizador da obra).
A História do Sabor. São Paulo: SENAC São Paulo, 2009.

• FREYRE, Gilberto.
Açúcar. São Paulo: Global Editora, 2007.

• MONTANARI, Massimo.
Comida como Cultura. São Paulo: SENAC São Paulo, 2008.

• PERELLA, Ângelo S.; PERELLA, Myriam C.
História da Confeitaria no Mundo. São Paulo: Livro Pleno, 1999.

• KELLY, Ian.
Carême. Cozinheiro dos Reis. Rio de Janeiro: Jorge Zahar, 2005.

• FERNADEZ-ARMESTO, Felipe.
Comida – Uma história. São Paulo: Record, 2004.

• *The Essential Guide to Cake Decorating.* (Borders Exclusive).
Austrália: Murdoch Books, 2005.

Onde Encontrar

Na decoração de bolos, muitas vezes utilizamos materiais bem específicos.

Barradoce
(11) 5543-6652/(11) 5533-3560
Av. dos Eucaliptos, 305
São Paulo – SP
www.barradoce.com.br

Trem da Alegria
(11)2917-2568
Rua Costa Barros, 962
São Paulo – SP
www.tremdaalegria.com.br

Central do Sabor
(11) 3312-7800/(11) 3328-8200
Rua Paula Souza, 190
São Paulo – SP
www.centraldosabor.com.br

Szanforlin
www.szanforlin.com.br
Loja Virtual

Livraria Gourmet
(11)3062-6454
Rua Augusta, 2542, loja 08
www.livrariagourmet.com.br

Confraria CookLovers
www.cooklovers.com.br

Impresso no Brasil a mando de Editora Boccato e Editora Gaia em 2012.

DOCE BRASIL BEM BOLADO

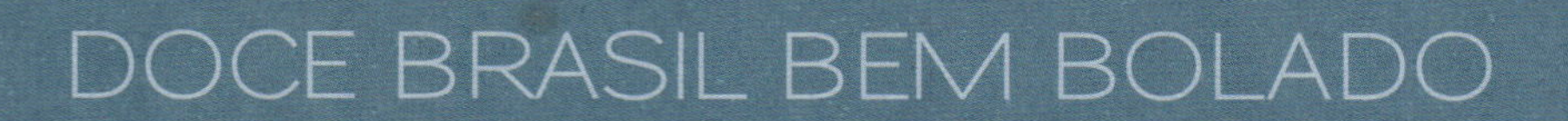

DOCE BRASIL BEM BOLADO

DOCE BRASIL BEM BOLADO

DOCE BRASIL BEM BOLADO

DOCE BRASIL BEM BOLADO

DOCE BRASIL BEM BOLADO